KB004531

마흔의 문장들

마흔의 문장들
서툰 어른을 위한
진화심리학자의 위로
유지현 지음
타인의사유

프롤로그

갓 스무 살이 된 사람에게 어른으로서의 역할을 능숙하게 해내길 기대하는 사람은 없다. 현대 사회에서 유예된 성년기는 아직 학업 중이거나 취업 준비를 하고 있거나 사회생활을 시작한 지 얼마 안 된 서른에도 적용된다. 심지어 30대를 훌쩍 넘겨도, 아직 진짜 어른이 될 준비가 안 된 것 같다고 투정하면 애교로 넘어가곤 한다. 하지만 마흔의 문턱을 넘는다면 얘기가 달라진다. 마흔이 되면 주변에서 어른, 그것도 능숙한 어른의 역할을 기대하기 때문이다.

문제는 능숙한 어른이라기엔 우리 대부분이 아직도 자신이 없다는 사실이다. 각기 다른 삶을 살아가는 마흔의 우리는 여전히 서툴고 흔들리며 불안하기만 하다. 다만 한 가지 공통점이 있다면, 좋은 어른으로서의 역할을 해내기 위해 고군분투하며 노력한다는 점이랄까.

많은 이들이 무슨 일이든 완벽하게 해내야 좋은 어른이라고 착각하곤 하지만, 서툴지 않고 불안하지 않아야 좋은 어른인 것은 아니다. 단 한 번뿐인 인생은 매 순간이 처음이다. 아무리 나이를 먹더라도 새로운 삶의 단계와 역할은 언제나 낯선 문이다. 그런 의미에서 나의 그리고 나아가 다른 사람들의 서툴고 불안한 마음들까지 인정하고 받아들일 수 있다면, 이미 충분히 좋은 어른이다.

사실 이 책은 좋은 어른이란 뭘까에 대한 의문으로 시작되었다. 나이가 들수록 어른이 되어야 한다는 압박은 심해지지만, 정작 우리는 그에 대해 진지하게 고민해 본 적이 별로 없다. 그래서 진화인류학과 진화심리학을 공부하면서 기억에 남았던 이론과 문장들을 기록하기 시작했고, 여기에 그간 마음에 울림을 주었던 문장들을 하나씩 추가했다. 나 역시 아직 흔들리는 마흔으로서, 이 작업을 통해 지금까지의 삶을 돌아보고 앞으로의 삶에 대한 마음가짐을 다잡을 수 있었다. 마찬가지로 마흔 언저리에 서있는 누군가의 흔들리는 마음에 이 책이 조금이나마 위로와 격려가 되길 바란다.

많은 이들이 진화심리학이 뭐 하는 곳(?)인지 궁금해

하니, 이 책의 기반이 되는 진화심리학에 대해 간단한 언급이 필요할 것 같다. 진화심리학은 동시대 사람들뿐만이 아니라 아득한 인류의 선조들부터 현대인에 이르는 긴 기간 동안, 반복적으로 맞닥트려 온 삶의 문제들을 고민하는 학문이다. 그동안 마흔의 삶이 겪어야 하는 구체적인 고민은 조금씩 달라져 왔지만, 고민의 본질은 20만 년 전 호모 사피엔스가 지구상에 처음 출현한 그때와 크게 달라지지 않았다. 그래서 진화심리학자들의 연구와 고민들이 오늘날을 살아가는 우리들에게도 큰 울림과 통찰을 줄 수 있다.

진화심리학은 진화인류학의 한 분과이기도 하고 심리학의 분과이기도 하다. 그리고 최근에는 생물학, 뇌과학 등의 다양한 학문 분야와의 협업을 통해 다학제적 학문으로 거듭나고 있다. 그래서 이 책에서 언급된 연구들 역시 진화심리학뿐만 아니라 인류학, 심리학, 경제학, 뇌과학, 동물행동학 등등 다양한 학문 분야를 넘나든다. 최대한 검증된 이론을 위주로 다루려고 노력했지만 아직 완전히 입증되지 않은 가설이나 학자들 간에 이견이 있는 주장도 일부 포함되어 있다. 혹여 이 과정에서 실수나 오류가 있다면 저자의 책임임을 밝힌다.

책이 나오기까지 많은 분들의 도움을 받았다. 먼저 지

혜와 통찰력으로 이끌어 주시며 진화심리학과 진화인류학을 사사할 수 있게 해주신 서울대학교 인류학과 박순영 교수님께 깊은 감사를 드린다. 또 진화인류학뿐만 아니라 다양한 학문의 경계를 뛰어넘는 박식함으로 가르침을 주시는 서울대 진화인류학 연구실의 박한선 박사님께도 감사드린다. 사실 박한선 박사님이 나를 저자로 추천해 주셨기에 이 책이 세상에 나올 수 있었다. 집필을 시작하고 또 끝낼 수 있도록 저자를 믿고 격려해 준 김순란 편집자께도 특별한 감사를 드리고 싶다. 그리고 책의 주제인 마흔의 삶과 고민에 대한 끝없는 영감의 원천이었던 마흔의 친구들에게 고마운 마음을 전한다. 마지막으로 늦은 나이에 다시 학업에 뛰어든 나를 나보다 더 믿고 응원해 주는 남편 위충규와 두 딸 다인이 다해에게 사랑과 감사를 전한다.

차례

1장

마흔,
어른의 시간이
시작되었다

마흔,

어쩌다 여기까지 온 걸까

“우리는 불확실성 속에서

살아가는 법을 배워야 한다.”

_게르드 기게렌처

마흔 살이 되던 첫날이었다. 이때만큼은 밝고 희망차게 하루를 시작하고 싶었는데, 전날 오랜만에 만난 친구들과 반가운 마음에 주량을 훨씬 넘겨 과음을 하고 말았다. 머리는 지끈거리고 속은 울렁거린다. 밀려오는 숙취에 침대에서 일어나지도 못하고 시달리다가 문득 이런 생각을 했다. '마흔의 삶도 똑같구나.' 아니, 예전에는 다음 날 아침에만 고생하던 숙취였는데, 이제는 이틀 내내 시달린다는 점이 차이라면 차이랄까.

새해 첫날의 그 예상은 완전히 맞아떨어졌다. 마흔이 됐어도 스무 살의 나와 별반 다를 게 없었다. 가끔 친구들과 질펀하게 퍼마시고 뻗는 나, 미래에 대해 고민하는 나, 인생의 의미를 찾는 나.

심지어 같이 마시던 친구들도 그대로였다. 하지만 각자의 삶을 비교해 보면 참 많이도 변했다. 스무 살에 처음 만난 대학 동창들만 해도 그렇다. 20년 전의 우리는 같은 학교 같은 과에 소속되어 있었다. 기말고사에 우정과 연애는 물론 취직 준비까지, 거의 모든 일상을 공유하던 사이였다. 하지만 이제는 여전히 꿈을 찾아 헤매는 주부, 삶이 피곤한 워킹맘, 일에 푹 빠져 사는 싱글, 남편과의 소소한 일상이 소중한 딩크족이 되어 각자의 삶을 산다.

스무 살에도, 서른 살에도 다들 비슷비슷한 삶을 살고

있었던 것 같은데 어느덧 마흔이 된 우리들의 삶은 너무나 다르다. 우린 어쩌다 여기까지 온 걸까? 스무 살의 내가 마흔이 된 지금의 나를 만난다면 무슨 생각을 할까?

우선 회사원이 아닌 것부터가 충격이었을 거다. 20대의 대부분을 사회적 성공을 가슴에 품고 회사에 취직하기 위해 소위 '스펙'을 쌓으며 살았는데, 그렇게 힘들게 들어간 회사를 3년 만에 사직서 쓰고 나올 줄이야.

두 아이의 학부형이 된 나의 모습에도 꽤나 놀랐을 것이다. 비혼이나 딩크이기 이전에, 아이라는 존재는 내 상상의 영역을 넘어서는 것이었다. 내 인생에 아이들을 포함시켜서 생각해 본 적조차 없었다. 그런 20대의 나에게 내 인생에서 가장 소중한 부분이 아이들이 될 거라고 말해준다면 분명 황당해했을 것이다.

다이어리에 거의 매일같이 친구들과 만날 약속을 적어 넣던, 저녁 약속이 없는 날에는 누군가에게 전화해서 오늘 뭐 하냐고 먼저 운을 띄우던 스무 살의 나는, 지금처럼 혼자 책상 앞에서 논문이나 책을 읽는 게 삶의 낙이라고 생각하는 모습을 상상조차 할 수 없었다.

분명히, 거의 모든 면에서 지금 나의 삶은 20대에 내가 계획했던 모습은 아니다. 삶은 계획대로 되지 않았고, 심지어 계획대로 이루어지던 시기에도 기대했던 것처럼 완벽하게 느껴지진 않았다. 그래도 삶은 계속되었고, 생각지도 못한 곳에서 행복하기도 하고 불행하기도 했다.

삶이란 다수의 우연과 그 안에서 간간이 찾아오는 선택의 연속이다. 그래서 프랑스의 심리학자 게르드 기헤렌저는 우리가 불확실성 속에서 살아가는 방법을 배워야 한다고 했다. 이는 반대로 말하면 우리가 불확실한 상황을 매우 견디기 힘들어한다는 말이기도 하다.

미래를 예측하고 계획을 세우는 것은 인간의 두드러진 특성이다. 계획을 담당하는 전전두엽의 확장이 인간 뇌의 특징 중 하나이기 때문이다. 일부 침팬지 같은 영장류도 계획을 세운다는 것이 알려져 있지만, 인간만큼 고도로 능숙하게 미래에 대한 계획을 짜지는 못한다. 어쩌면 예측하고 계획하는 것은 인간 본성이라고 할 수 있겠다. 덕분에 우리 선조들은 맹수를 피하고 식량을 비축해 살아남을 수 있었고, 오늘날에는 달에 발자국까지 남길 수 있었다. 그렇게 인류 문명은 발달했고, 우리는 현재 지구상에서 가장 성공한 생물 종이 되었다.

하지만 부작용도 생겼다. 점점 더 강박적으로 예측과 계획에 매달리게 된 것이다. 20대의 나 역시 삶의 계획을 세우고 이를 이루기 위해 노력하는 것을 중요하게 생각했다. 계획이 틀어지거나 원하는 대로 되지 않으면 뭔가 잘못된 것만 같았다. 삶의 모퉁이나 갈림길을 만나면 당황해서 어쩔 줄 몰라 하거나 화가 났다.

하지만 우리가 아무리 예측하고 계획을 세우더라도 삶의 불확실성을 지워버릴 수는 없다. 게다가 오늘날 사회는 점점 더 빠르게 변화하고 있고, 미래는 더욱 불확실해졌다. 그러니 삶을 이 정도 살아낸 마흔의 나는 인생이란 본질적으로 불확실하며 결코 계획대로 되지 않는다는 사실을 인정할 때가 됐다.

남태평양의 폴리네시아 원주민들에게 우연은 없다. 모든 일은 필연이다. 길을 가다 넘어져도, 집에서 자다 지붕이 무너져도, 이 모든 것은 누군가 주술을 걸어 저주했기 때문이다. 우연을 인정하지 않으면 강박적이 되기 쉽다. 그러니 적어도 길을 가다 우연을 만났을 때, 웃으며 인사하진 못하더라도 너무 놀라 뒤로 넘어지지 않을 방법 정도는 배워야 하지 않을까. 앞으로도 우린 우연을 종종 만날 테니 말이다. 우연을 삶의 일부로 받아들이기 위해 그만의 장단점을 곱씹어 보자. 생각보다 장점이 많을지도 모른다.

완벽한 선택은 없지만,

그나마 나은 선택이기를

"우주의 기본 법칙 중 하나는
완벽한 것은 없다는 것이다.
불완전함 덕분에
당신도 나도 존재한다."

_스티븐 호킹

하루는 둘째가 유치원에서 여러 동물에 대해 배우고는 집에 돌아와서 물었다. "왜 사람은 새처럼 하늘을 나는 날개가 없어? 왜 물고기처럼 물속에서 숨을 못 쉬어?" 아이의 이 천진난만한 질문을 듣는 순간, 문득 '심오한 인생의 진리가 여기에 숨어있구나' 하는 생각을 했다.

이미 진화학자들은 왜 하늘을 나는 돼지가 없는지에 대해 진지한 답변을 내놓은 바 있다. 돼지가 하늘을 날려면 날개나 가벼운 뼈, 짧은 소화기계가 필요하다. 그러려면 현재 가지고 있는 적응적 특징들, 즉 높은 체지방과 단단한 뼈 등을 버리는 과정이 선행되어야 한다. 어느 날 높은 체지방과 단단한 뼈를 버린 돼지가 나타났다고 생각해 보자. 이 돼지가 진화를 통해 날개를 얻을 때까지 살아남을 수 있을까? 다른 돼지들과의 경쟁이나 포식자로부터 자유로울 수가 없을 것이고, 자손을 남기지 못한 이 돼지의 특징들은 후대로 전달되지 못할 것이다.

인간 역시 마찬가지다. 인간이 지구상에서 가장 완벽하게 진화한 생명체라고 믿고 싶지만, 인간도 다른 동물들과 마찬가지로 물리적, 생리적 제약 속에서 타협하며 진화한 생물이다. 우리의 진화는 트레이드오프(trade-off) 시스템, 즉 어느 하나를 얻으면 다른 하나가 늦춰지거나 희생되는 형태로 이루어져 왔다. 좋아 보이는 것을 전부 다 챙기는 식으로 진화한 게 아니라는 말이다.

1957년 진화생물학자 조지 윌리엄스가 주장한 '길항적 다면발현 유전자'는 이런 진화 시스템의 대표적 사례 중 하나이다. 길항적 다면발현 유전자란, 젊어서는 생존과 번식에 도움이 되지만 나이가 들어서는 오히려 건강에 해로운 영향을 미치는 유전자를 말한다. 이후 유전공학이 획기적으로 발달하면서, 2000년대에 들어 많은 동물 종에서 길항적 다면발현 유전자가 존재한다는 증거가 발견되었다.

길항적 다면발현 유전자는 노화와도 연관이 있다. 사람을 포함한 모든 동물은 노화를 경험한다. 초기 진화학자들이 추측한 노화의 원인은 이렇다. 생애 초기에는 발현되지 않다가 번식 연령이 지난 생애 후기에, 해로운 영향을 주는 유전자들이 자연선택 과정에서 제거되지 않고 남아있기 때문이라고 생각했다. 번식 연령 전이나 번식기에 해로운 영향을 미치는 유전자의 주인은 자손을 남기기 어려웠을 것이다. 하지만 번식기 이후에 해로운 영향을 미치는 유전자의 주인은 이미 동일한 유전자를 가진 자손들을 다 낳은 후이기 때문에, 이 유전자는 종의 유전자풀에서 사라지지 않는다는 주장이다. 하지만 생애 후기에 해로운 유전자가 없었다면 노화를 겪지 않고 계속 번식 활동을 할 수 있을 테니, 논리적으로 딱 들어맞진 않았다.

그런데 동일한 유전자가 생애 초기에는 유익하고 생애 후기에는 해가 된다면, 노화에 대해서도 일정 부분 설명이 가능하다. 생명체의 에너지는 한정되어 있다. 그래서 빠른 번식이 가능하도록 성장에 에너지를 끌어 쓰게 만드는 유전자는 그만큼 생존과 회복에 쓰는 에너지를 줄이게 되어있다. 그렇게 되면 노화가 진행되고 수명이 짧아질 수밖에 없다.

유전학 연구는 아니지만 사람을 대상으로 조사한 연구들에서도 비슷한 결과가 나타난다. 예를 들어 아이를 많이 낳은 여성일수록 수명이 짧아지는 경향이 있다. 19세기 캐나다 정착민 집단의 여성을 대상으로 한 조사에서는 한 명의 아이를 더 낳을 때마다 수명이 대략 1.6~3.2% 줄어들었다. 또 젊어서 여성적 매력에 도움이 되는 유전자들이 나중에는 부인과 질환을 높이게 한다거나, 마찬가지로 남성적 특징과 관련 있는 유전자가 나중에 전립선암 등의 남성 질환 발병률을 높이는 경우가 왕왕 있다. 안젤리나 졸리 덕분에 유명해진 브라카(BRCA) 돌연변이 유전자도 이에 속한다.

이렇듯 선택에 있어 트레이드오프 문제는 종 차원의 진화에서뿐만 아니라 지구상의 모든 생명체가 공통적으로 직면한 삶의 과제이기도 하다. 진화 과정에서 우리에게 주어진 여건과 환경의 제약 속에서, 최선의 선택은 단점이 없는 선택이 아니다. 장점이 단점보다 큰 선택, 또는 단점이 그나마 덜한 선택을 해야 한다. 우리 삶의 모든 선택도 마찬가지다. 선택은 유한한 인간의 삶, 아니 지구상에 존재하는 모든 생물의 삶에서 필연적이다. 그리고 모든 선택에는 트레이드오프가 있다. 영국의 유명한 물리학자 스티븐 호킹이 "불완전함이 우주의 기본 법칙"이라고 말한 배경에는 결코 완벽할 수 없고 완벽을 추구하지도 않는 자연의 섭리가 자리한다.

어린 시절에는 최선의 결정을 꿈꿔왔다. 절대 후회하지 않고 나쁜 건 하나도 없는 선택이 가능하다고 믿었지만, 이제는 어떤 선택이든 장단점이 있다는 것을 안다. 하지만 각각의 장단점은 다르다. 어떤 선택은 장점이 매우 좋아서 단점을 커버할 수도 있고, 또 어떤 선택은 장점도 단점도 모두 적어서 무난하게 흘러갈 수 있다. 장점만 있고 단점이 없는 선택은 유한한 인간의 삶에서 만나기 드물다.

옳고 틀린 길이 있는 것이 아니라, 여러 가지 길 중에 내가 선택한 길이 있을 뿐이다. 그리고 어떤 선택도 좋은 면만 있거나 나쁜 면만 있는 선택은 없다.

오늘의 걱정 릴레이

“우리가 두려워해야 할
단 한 가지는 두려움 그 자체이다.”

_프랭클린 루스벨트

어느 날 미국 대학에서 방문 교수로 오신 모교 출신 선배님이 연구실을 찾아오셔서, 오랜만에 선후배들이 한자리에 모이게 되었다. 그 자리에 함께 있던 다른 사람들 중에는 국내 대학 조교수, 시간강사, 박사과정 학생, 유학 준비 중인 석사 졸업생이 있었다.

미국에서 오신 교수님이 먼저 고민을 털어놓았다. 요즘은 워낙 연구 기법들이 자고 일어나면 최신 기법으로 바뀌는 형편이라 기존의 연구 방법으로는 더 이상 연구를 해나가기 어려운 지경이란다. 앞으로 어떤 연구를 할 수 있을지 고민이 많고, 이러다 뒷방 늙은이가 되는 건 아닌지 걱정된다며 한숨을 내쉬었다. 그러자 국내 대학에서 조교수 직을 맡고 있는 옆자리 선배가 걱정도 팔자라며 손을 내젓는다.

"아니, 선배는 그래도 정식 임용을 받으셨잖아요. 더 이상 연구 안 하셔도 정년 보장이 되는데 뭐가 걱정이세요. 저는 계약 갱신하려면 연구 실적을 매년 제출해야 한다고요. 매번 피가 마릅니다."

그러자 그 옆에 있던 시간강사 선배가 발끈한다.

"선배는 그래도 '교수'잖아요. 부럽습니다. 전 아직도 보잘것없는 시간강사에요."

나도 질세라 한마디 보탰다.

"아니, 왜 그러세요. 저는 장래 희망이 졸업하고 시간강사로 취직하는 건데요."

마지막으로 유학 준비 중인 후배가 말했다.

"선배, 지금 제 목표는 박사과정 들어가는 거예요."

그날의 걱정 릴레이는 우리가 가지고 있는 삶에 대한 본질적 불안과 두려움을 단적으로 보여주었다. 이것들은 무한한 뫼비우스의 띠와 같다. 언제 어디서나 우리 곁에 함께 있을 것이다. 걱정되고 불안한 지금 나의 모습이 다른 누군가에게는 바라 마지않는 꿈일지도 모르고, 과거의 내가 그토록 바라던 모습일지도 모른다.

기억을 더듬어 보면, 오랫동안 전업주부로 일하면서도 경력 단절에 괴로워하던 때의 나는 대학원 입학만 할 수 있으면 좋겠다고 얼마나 바랬던가. 석사과정 중에도 늦게 시작한 만큼 빨리 석사 학위를 받고 박사과정을 시작하기를 또 얼마나 바랬던가. 하지만 박사과정 중인 지금은 졸업하면 과연 할 수 있는 일이 있을지, 나이도 많은 나를 받아줄 곳이 있을지 걱정되고 불안하다. 그리고 이런 종류의 걱정은 앞으로도 영원히 끝나지 않는다는 걸, 그날 그 자리에 모였던 우리 모두는 뼈저리게 실감했다. 그리고 신나게 웃었다.

삶에 대한 불안과 두려움은 인간에게는 본질적인 것이다. 심리학자 폴 에크만은 다양한 문화권의 인간 사회에서 나타나는 표정의 보편성을 통해 인간 감정의 보편성에 주목했다. 석기 도구를 이용해 수렵 채집을 하는 부족사회나 미국 대도시에서나, 즉 경제 발전 단계와 종교의 차이에도 불구하고 거의 대부분의 문화에서 기쁨, 경악, 분노, 슬픔, 공포, 혐오를 표현하는 얼굴 표정이 있었다. 에크만은 이를 인간의 여섯 가지 기본 감정이라고 결론지었다.

그런데 기본 감정 중 기쁨을 제외하면 나머지 감정들은 경악, 분노와 같이 대부분 부정적인 감정들이다. 여섯 가지 감정 목록을 보고 있자니, 도대체 인간은 왜 이렇게 부정적인가 하는 부정적 감정이 생겨난다. 그나마 하나 있는 기쁨의 감정조차 쾌락 적응 현상 때문에 금세 사라져 버린다. 이러니 마흔이 되어도 안정은커녕 경악과 분노와 슬픔과 공포와 혐오의 늪에서 헤어 나오지 못하고 있는 게 아니겠는가!

하지만 영장류학자들의 이야기에 따르면 우리와 계통학적으로 가까운 침팬지는 물론이고 다른 영장류들도 비슷한 기본 감정을 공유하고 있다고 한다. 현미경으로 관찰해야 보이는 미생물에 불과한 예쁜 꼬마 선충도 '공포'라고 부를만한 반응을 가지고 있다. 인간뿐만이 아니라 모든 생명체에게 공포와 두려움은 본질적인 반응이다.

오늘날 마흔의 삶은 너무나 다채롭다. 아직도 삶의 수많은 순간이 어렵고 불안하고 두렵지만, 삶이 흔들린다고 마음까지 흔들릴 필요는 없다. 삶이란 성공과 실패가 아니라 다양함이기 때문이다.

불안하지 않은 삶은 없다. 하지만 불안을 다독여 앞으로 나갈 수는 있다. 루스벨트 대통령의 말처럼, 우리가 두려워해야 할 것은 걱정과 불안에서 빠져나오지 못하는 우리 자신뿐이다.

나쁜 기분을 느끼는 좋은 이유

"우울증은 어둡고 검은 옷을 입은
여인과 같다. 그녀가 나타나면
그녀를 멀리하지 마라. 차라리 그녀를
받아들여 손님으로 대하고,
그녀가 하고자 하는 말을 듣도록 하라."

_칼 융

오늘날 우리는 행복, 기쁨, 즐거움이 선이요 불안, 두려움, 우울은 악인 시대를 살고 있다. 모두들 삶에 행복을 끌어들이고, 불안과 우울은 내쫓으려고 노력한다. 과다불안장애나 우울장애는 있지만, 과다행복장애는 없다.

마흔이 됐다고 이런 감정들이 말끔히 정리될 리가 있겠는가. 우리 마음속에는 여전히 불안, 두려움, 우울 같은 나쁜 기분들이 터줏대감처럼 자리를 잡고서 도통 나갈 생각을 하지 않는다. 오히려 중년의 위기가 우울증으로 이어지기도 하고, 육아 스트레스나 과도한 업무로 번아웃 증상이 오는 등 예전보다 마음이 더 어수선하다.

그렇다면 불안과 두려움 같은 감정이 정말로 나쁘기만 한 것일까? 이런 감정들이 아예 없다면 우리 삶은 어떻게 될까? 이에 대해 '콤플렉스'라는 말을 처음 사용한 심리학자 칼 융은 다음과 같이 말한 바 있다.

"우울증은 어둡고 검은 옷을 입은 여인과 같다. 그녀가 나타나면 그녀를 멀리하지 마라. 차라리 그녀를 받아들여 손님으로 대하고, 그녀가 하고자 하는 말을 듣도록 하라."

나는 디즈니사의 애니메이션 영화 〈인사이드 아웃〉을 봤을 때 이 말을 떠올렸다. 어쩌면 이 영화의 작가가 융의 말을 새겨듣고 '슬픔이'를 만들어낸 게 아닐까 하는 상상을 하기도 했다. 어쨌거나 요즘 진화심리학자들은 칼 융의 말을 더 진화시켜서, 우울증뿐만 아니라 불안이나 공포 같은 다른 '나쁜 기분들'이 하는 이야기도 잘 들어볼 필요가 있다고 전한다.

정신과 의사이자 진화정신의학자인 랜돌프 네스가 쓴 《이기적 감정》의 원제는 《나쁜 느낌의 좋은 이유(good reasons for bad feeling)》이다. 번역된 제목이 약간 오해의 소지가 있는데, 여기서 말하는 이기적 감정 또는 나쁜 느낌이란 미움, 질투, 경멸과 같이 타인을 향한 감정이 아니다. 오히려 나 자신을 괴롭히는 불안, 우울, 슬픔 등의 감정에 대한 이야기다.

이런 부정적 감정들은 우리 몸의 보호 반응의 일부다. 진화정신의학자들은 불안, 두려움, 우울 등의 부정적 감정이 우리로 하여금 위험한 것들을 피하게 만드는 심리적 면역체계라고 추측한다. 생리적인 면역체계가 과도하게 활성화되거나 오작동하면 자가면역질환, 즉 알레르기 질환을 일으킨다. 마찬가지로 부정적 감정들이 과도하게 활성화되어 나타나는 불안증, 우울증 등은 마음의 자가면역질환이라고 할 수 있다. 과도한 불안 반응이 병이 될 수 있듯이 불안 결핍도 병이다. 과다 불안이 해롭다는 연구는 널렸지만, 불안 결핍이 얼마나 위험한지는 잘 알려지지 않았을 뿐이다.

나쁜 기분들을 느끼지 않고 산다면 마냥 좋을 것 같지

만, 우리가 지금껏 살아있을 수 있는 이유는 이런 감정들 덕분이다. 불안, 두려움, 공포는 그만큼 중요한 감정이다. 실제로 미국에서는 선천적인 희귀 질환이나 사고로 인해 공포를 느끼지 못하는 극소수 사람들의 사례가 보고된 적이 있다. 이들은 위험을 감지하고 조절하는 변연계의 편도체에 이상을 가지고 있었다. 한 여성은 공포 감정을 전혀 느끼지 못해 독사나 독거미에게 얼굴을 들이밀고 손으로 만지는 등의 위험한 행동을 하면서도 매우 즐거워했다. 그녀는 한밤중에 슬럼가 공원에서 괴한에게 칼로 위협을 받고도 어떤 공포도 느끼지 못했고, 나중에 그 공원으로 한밤중 산책을 다시 나갔다가 강도를 당했다. 그 이후에 그녀가 어떻게 되었는지는 모르겠지만, 안전하게 여생을 보내지는 못했을 것이다.

앞의 사례가 너무 극단적인 것 같다면, 좀 더 친숙한 고소공포증 연구도 있다. 고소공포증이 있는 사람은 놀이동산의 롤러코스터나 번지점프는 꿈도 꿀 수 없다. 예전에 정신과 의사들은 고소공포증이 어린 시절 높은 곳에서 떨어진 트라우마로 인한 것이라고 생각했다. 하지만 실제로 조사해 보니 반대의 결과가 나왔다. 어린 시절 높은 곳에서 떨어져 크게 다친 적이 있는 사람들이 그런 경험이 없는 사람들보다 더 많은 비율로 고소공포증을 경험한 적이 없다고 보고했다. 즉 높은 곳에 대한 공포를 느끼지 못하는 사람일수록 어렸을 때 낙하 사고를 당할 가능성이 더 높았다. 높은 높이에 대한 공포가 우리를 추락 사고로부터 보호해 준 것이다.

이렇게 공포는 위험한 상황에서 탈출시키거나 아예 위험한 일 근처에는 얼씬도 하지 못하게 한다. 분노는 다른 사람의 행동을 바꾸도록 유도한다. 슬픔이나 우울은 생리적인 신진대사를 떨어뜨려 에너지를 보존함과 동시에 다른 사람들에게 도움이 필요하다는 신호를 보낸다. 그리고 이 모든 부정적 감정을 피하고자 하는 우리 마음의 방어 작용이 '불안'이다. 게다가 화재경보기처럼 아주 작은 위협의 단서에도 마음의 경보를 울려댄다.

화재경보기가 오작동 했다고 아예 화재경보기 전원을 꺼버릴 수는 없는 노릇이다. 그러니 이제 우리 마음속의 '검은 옷을 입은 여인'뿐만 아니라 '불안'과 '두려움' 같은 다른 나쁜 기분들과도 화해할 때가 되었다. 그들은 종종 쓸데없이 시끄럽고, 마음의 평화를 깨며, 기분이 나빠지게 한다. 하지만 그들을 쫓아내려 하지 말자. 차라리 그들을 받아들여 손님으로 대하고 그들이 하려는 말을 들어보자. 가끔은 정말 우리에게 필요한 이야기를, 우리를 살아남게 해주는 이야기를 들려줄 것이다.

그 유명하다는

'마흔앓이'의 전설

"지혜는 우리 자신의 어리석음에서 살아남은 데 대한 보상이다."

_브라이언 래스본

마흔이 되면 심리적인 변화도 있지만 신체적인 변화도 그 못지않다. 자정을 넘겨 마흔을 찍는 순간 딱 하고 여기 저기 쑤시고 아픈 건 아니지만, 많은 사람들이 마흔 즈음에 여러 가지 신체적인 기능 저하를 경험한다. 오죽하면 '마흔앓이'라는 말도 있지 않은가. 특히나 그때쯤 질이나 자궁, 난소와 관련된 부인과 질환이 잦아지는 것 같다. 나 역시 얼마 전에 건강검진을 받았는데, 의사 선생님이 다른 특별한 문제는 없지만 자궁 경부에 폴립이 있다며 가까운 산부인과 병원에서 치료를 받으라고 했다. 이 나이에서는 흔한 일이고 간단한 레이저 시술이니 걱정할 일이 아니라고 얘기를 들었지만, 가볍게 머리를 한 대 맞은 기분이었다.

뭔가 씁쓸한 마음으로 친구에게 이 소식을 전하자 친구 역시 얼마 전에 자궁 근종 때문에 병원에 다녀왔다고 한다. 늦둥이를 계획하고 있던 또 다른 친구는 산부인과에서 무배란 월경 때문에 자연임신이 어렵다는 소견을 듣고 난임 시술을 받기로 했단다. 다들 여러 가지 이유로 산부인과 진료가 잦아진다.

여성에게 생식력 저하는 노화보다 훨씬 더 일찍 찾아온다. 현대 산업사회가 여성의 몸에 안 좋은 영향을 끼쳐서 생식력이 먼저 떨어지는 게 아닐까 의심스러운 기분이 들 수 있지만, 사실 수렵 채집 사회에서도 폐경이 노화보다 먼저 찾아오는 것은 마찬가지다. 오히려 우리는 마흔이 넘어 첫째를 낳는 일이 드물지 않고 쉰을 넘어 예순의 나이에 출산한 여성들이 뉴스에 나오기도 하는데 반해, 수렵 채집 사회 여성들은 40대 중반에 폐경을 하는 일이 대부분이다. 심지어 마흔 초반에 아기를 낳고 3~4년간 수유와 생계 노동을 병행하다가 완경을 맞는 경우도 많다.

사실 여성의 폐경은 진화학자들 사이에서 매우 흥미롭고도 어려운 주제이다. 노화나 죽음보다 더 미스터리하다. 여성이 40대에 폐경을 맞는다는 사실이 특별한 것은 아니다. 다른 유인원, 특히 침팬지도 충분히 오래 살면 마흔 살쯤 생리를 멈춘다. 그런데도 인간 여성의 폐경이 특별한 이유는 인간 여성이 폐경 이후로도 매우 오래 살기 때문이다. 대부분의 동물들은 생식력이 사라진 후에 곧 죽는다. 인간 여성은 이 점에 있어서 매우 예외적이다.

또한 폐경이 꼭 신체적 기능 저하를 의미하는 것도 아니다. 인류학자 크리스틴 호스크가 다양한 수렵 채집 사회를 조사한 결과, 가임기를 넘긴 여성들은 그 이후로도 수십 년 동안 계속 적극적으로 생계 활동을 하고 친족을 보살피는 중요한 역할을 했다. 심지어 채집꾼 여성들 중에 가장 많은 먹을거리를 채집하고 친족들에게 음식을 나눠주는 사람은 대부분 폐경을 넘긴 나이의 할머니들이다.

여성들이 폐경 이후로 건강하게 20~30년을 생존하는 것은 생식 연령이 지난 여성의 장수가 진화적으로 선호되었다는 것을 의미한다. 그 이유가 막내로 태어난 아이가 성인이 될 때까지 지키기 위해서인지, 또는 손주들의 양육을 돕기 위해서인지, 아니면 세대 간 지식 전수를 위한 것인지, 어쩌면 이 모든 것을 위해서인지는 아직도 결론이 나지 않았다. 하지만 가임기가 지난 여성에게 중요한 기능이 있었다는 것만은 확실하다. 자연선택은 폐경 이후로도 장수하는 여성을 선호했고, 장수를 가능하게 하는 유전자가 개체군에 널리 퍼졌다. 고고학적 증거들은 아주 오랫동안 여성이 장수해 왔다는 것을 가리키고 있다.

인간의 뇌 인지능력은 판단력, 통찰력, 직관력 등의 종합적인 사고 차원에서 40~65세에 최고의 수행 능력을 보인다. 그동안 뇌의 노화에 대한 연구는 정보처리 속도, 단기 기억력, 주의집중력같이 검사가 쉽고 눈에 띄는 인지기능 위주로 측정되어 왔다. 이러한 인지능력들은 20대에 정점을 기록하고 그 이후로 서서히 떨어지기 때문에 초창기 뇌과학자들은 중년의 뇌와 인지능력에 대해 과소평가해 왔다. 하지만 지금 뇌의 노화를 연구하는 학자들은 중년의 뇌가 가진 통합적인 문제해결 능력에 놀라고 있다. 옛날이야기 속 현자들이 나이가 많은 이유는 실제로 나이 든 사람들이 현명했기 때문인 것이다! 작가 브라이언 래스본의 말대로 우리 자신의 어리석음에서 지금껏 살아남은 데 대한 보상으로 지혜를 얻기 때문일지도 모른다.

인간 여성 말고도 폐경이 지나서 10년 이상 생존하는 동물들에는 범고래, 코끼리 등이 있다. 이들 모두 모계 집단으로, 나이가 많은 암컷이 무리를 이끈다. 현명한 범고래나 코끼리 할머니의 존재가 대가족의 생존을 돕는다는 것은 잘 알려져 있다. 한 코끼리 전문가의 말에 따르면 "암컷 코끼리는 리더십을 위해 태어난다."

마흔을 넘기면 생식 기능뿐만 아니라 근력이나 민첩성 등의 육체적 능력과 면역력 같은 여러 신체 기능이 예전 같지 않은 게 사실이지만 그렇다고 너무 낙심할 필요는 없다. 우리가 걱정할 정도로 신체 기능이 무시무시한 속도로 떨어져 버리거나, 한순간에 갑자기 나빠질 일은 없다. 앞으로 해야 할 일도, 할 수 있는 일도 많을 것이다. 물론 이를 위해서는 지금부터라도 틈틈이 운동하고 건강한 식단을 유지하도록 노력해야 할 테지만 말이다.

인생 후반부가 아니라

중기 성인기입니다만…

“중기 성인기의 실존적 질문은

‘나는 중요한 사람인가?’라는 것이다.”

_에릭 에릭슨

'마흔'이라는 단어에는 중년의 시작을 알리는 선언 같은 느낌이 있다. 푸릇푸릇한 유년기와 청춘을 보낸 뒤, 낙엽 진 후반에 발을 내딛는 듯한 서글픔이 묻어난 달까? 인생 후반전은 이제 시작이라고 아무리 마음을 다독여 봐도, 아무튼 후반전이란 어감은 낯설고 싫다. 쉰, 아니 예순은 돼야 평온히 인생 후반기를 인정할 마음이 생길지 모르겠다.

그런 면에서 내가 제일 좋아하는 고전 정신분석학자는 에릭 에릭슨이다. 그전까지의 심리학자들은 심리·사회적 성장과 발달을 주로 유년기와 청소년기에 한정시키고, 성인기 이후에는 특별한 관심을 두지 않았다. 그에 비해 에릭슨은 생애 발달 과업이 전 생애에 걸쳐 계속 진행되며, 각 단계의 발달은 그 전 단계의 발달 과업을 심화시키는 방향으로 나아간다고 처음 주장했던 학자다.

에릭슨은 삶을 영유아기에서 노년기에 이르기까지 8단계로 나눴다. 그리고 각 단계마다 사회적 상호작용의 관계와 본질이 달라지기 때문에, 각기 다른 발달 과정을 거친다고 보았다. 특히 성인기를 20~39세까지의 초기 성인기, 40~59세의 중기 성인기, 60세 이상의 후기 성인기로 나누고, 각 단계마다 심리·사회적 발달 과업뿐만 아니라 심리적 위기, 중요한 관계, 실존적 질문이 다르다고 했다.

에릭슨의 발달 단계에 따르면, 마흔은 중기 성인기가

시작되는 나이이며 전체 성인기의 1/3지점쯤 된다. 그리고 중기 성인기의 정점까지는 아직 시간이 남아있다. 이런 식으로 생각하면, 내리막길 같은 인생 후반기를 맞이하며 조급했던 마음이 조금이나마 진정되는 착시 효과를 일으킨다. 이러니 에릭슨을 좋아할 수밖에.

에릭슨이 중기 성인기의 실존적 질문으로 꼽은 것은 "나는 중요한 사람인가?"이다. 초기 성인기까지는 나에 대한 정체성 및 나와 가까운 관계의 사람들과의 친밀감 형성에 집중했다면, 이제는 이를 넘어서 더 넓은 관점에서 다음 세대를 육성하고 가치를 전수하는 단계로 나아간다는 게 핵심이다. 중기 성인기에 이르러 가족, 친구, 동료와의 관계에서 전달자나 조율자로 인정받고자 하는 마음이 더 커지는 것도 이와 관련이 있다.

중기 성인기의 중요한 발달 과업은 세대 간 재생산이다. 이는 자식을 낳아 기르는 부모가 되는 것만을 의미하지 않는다. 직장에서 후배에게 노하우를 전수하거나 사회 공동체에서 선임자로서의 역할을 하는 것처럼, 다음 세대에게 자신의 능력이나 가치를 전수하는 모든 활동이 포함될 수 있다. 이러한 발달 과업이 만족스럽게 성취되지 않으면, 과도한 자기 몰두, 공허함, 지루함 등이 나타난다.

심지어 똑같은 일을 한다고 해도 성취감은 각기 다르

게 느낄 수 있다. 자신의 역량이 얼마나 공동체 또는 사회에서 인정받는지, 또 스스로 얼마나 자부심을 갖는지에 따라 생산적 자긍심을 느낄 수도 있고, 반대로 침체감을 느낄 수도 있기 때문이다. 여기서 우리가 알아야 할 중요한 사실은 사회적으로 인정받는 것과 스스로 자부심을 갖는 것이 반드시 일치할 필요는 없다는 점이다.

예를 들어 나의 경우를 보면, 직업적인 면에서는 세대 전수는커녕 아직도 웃세대의 가르침을 받고 있는 늦깎이 대학원생이라 보잘것없는 형편이지만, 가정에서는 두 아이를 키우며 다음 세대를 육성하는 어머니로서 자긍심을 느낀다. 아이를 키우는 대부분의 부모들, 특히 어머니들은 아이들을 키우는 일이 내 아이, 내 가족에만 국한된 일이 아니라는 것을 알 것이다. 아이를 키우는 일은 내 아이를 포함해 아이의 친구들, 아이가 다니는 학교의 학생들, 아이가 뛰어노는 동네 놀이터의 다른 아이들, 그 모든 아이들과 관계 맺고 상호작용하고 영향을 미치는 일이다. 그럼에도 불구하고 내가 어머니라는 사실은 그다지 사회적 인정을 받지 못한다.

가정에서는 중요한 사람이지만 사회적으로 인정받지 못한다고 느껴지거나, 반대로 직장이나 직업적인 면에서 성취감을 느끼지만 가정에서는 중요하지 않은 사람처럼 느껴질 수도 있다. 오늘날 우리는 개인에게 너무 많은 역할을 기대하는 사회에서 살고 있기 때문에, 사실 삶의 모든 영역에서 자신의 역할에 대해 만족감을 느끼기란 불가능하다.

하지만 엄청나게 큰 사회적인 성공을 이루거나 존경을 받아야만 세대 간 전수의 성취감을 경험할 수 있는 것은 아니다. 이때 개인적인 차원의 성취에만 집중하는 것은 오히려 도움이 되지 않는다. 많은 사람들이 중년의 위기를 경험할 때, 더 많은 자기계발을 하거나 새로운 취미 등을 찾는다. 즉 새로운 활동 속에서 허무함과 침체감을 극복하려고 한다. 하지만 이렇게 자기중심적인 관점에 머무는 것은 이전 단계의 발달 과정으로 도망치는 것일 뿐, 근본적인 해결책이 되기가 어렵다. 중기 성인기의 진정한 발달 과업은 개인적 차원을 뛰어넘어 세대와 세대를 잇는 사회적 역할에 있기 때문이다. 중기 성인기의 미덕은 다음 세대를 위한 호의, 즉 돌봄이다.

사회적 인정에 목말라 늦게나마 다시 대학원에 입학했지만, 박사 학위증을 받는다 해도 중기 성인기의 위기를 해결하지는 못할 것이다. 오히려 아직 어린 후배들에게 별것 아닌 조언이라도 건넬 수 있을 때, 그럴 능력이 없을 때는 밥이라도 한 끼 사주면서 격려해 줄 수 있을 때 침체감을 덜어내기 쉽다. 다음 세대를 이끌어줄 수 있는 어른으로서, 사회적 책임을 다하는 성숙한 시민으로서 내 행동을 결정할 때, 중기 성인기의 실존적 질문인 "나는 중요한 사람인가?" 하는 물음에 긍정적인 답을 할 수 있다. 중기 성인기의 발달 과업을 전혀 완수하지 못한 기분이라도 걱정할 필요는 없다. 중기 성인기는 이제 막 시작되었을 뿐이다.

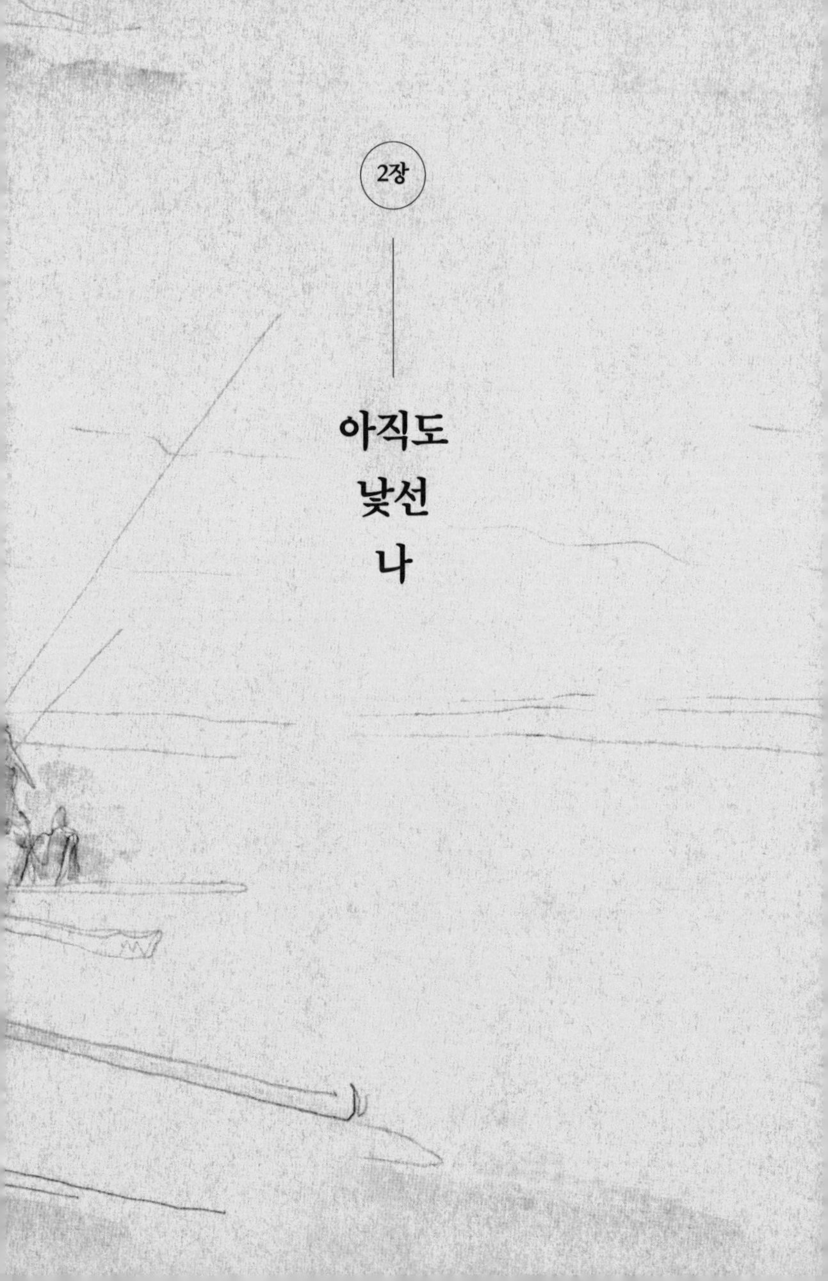

2장

아직도 낯선 나

성격 테스트의 비밀

"본질적으로

더 좋거나 더 나쁜 성격은 없다."

_대니얼 네틀

MBTI 검사가 유행을 했다. 잘 알려져 있다시피, 16가지 성격 유형 중에 어떤 유형에 속하는지 알아보는 검사인데, 사실 이 분류가 특별히 과학적인 방법으로 이루어진 것은 아니다. MBTI는 '마이어스 브리그스 성격 유형 지표(Myers-Briggs Type Indicator)'의 약자인데, 캐서린 브리그스와 그녀의 딸 이사벨 마이어스 모녀가 융의 성격유형이론을 근거로 고안한 검사이다. 융은 프로이트와 함께 정신분석학의 양대 산맥이라고도 불리지만, 사실 융의 성격유형이론 역시 과학적 증거에 기반한 분류는 아니다. 그런데도 지금까지 전 세계적으로 사랑받는 검사인 것을 보면, 사람들의 흥미를 끄는 무언가가 있는 것은 분명하다.

재미로 하는 사람들이 대부분이지만, MBTI를 통해 자기 성격이 어떤 유형인지 알고 싶다는 것은 결국 자신이 어떤 성격인지 잘 모른다는 반증이다. 변덕스러운 내 마음과 감정에 스스로 어떤 사람인지 더 알쏭달쏭하다. 이럴 때 내가 어떤 사람인지 간단하면서도 분명하게 알려준다면 혹할 수밖에 없다.

하지만 원래 극단적인 성격보다는 어정쩡한 중간 정도 성격이 많다. 외향적이거나 내향적인 특성은 마치 키가 크거나 작은 것처럼 스펙트럼 상의 이쪽 끝과 저쪽 끝이다. 심리·생리적 특성을 포함한 인간이 가진 대부분의 형질은 다양한 유전자와 환경의 영향을 받는 '다유전자' 형질이다. 그래서 대부분의 형질은 A아니면 B라는 식의 범주형이 아니라, 다양한 정도의 연속적인 수치가 정규분포로 나타나는 스펙트럼적인 모습을 띤다.

키가 크거나 작은 사람보다는 키가 보통인 사람이 더 많다. 성격도 마찬가지다. MBTI의 사고형이나 감정형처럼 두 가지 유형으로 딱 떨어지게 나눌 수 있는 것이 아니다. 대부분의 사람이 어떤 때는 객관적, 논리적, 분석적으로 판단을 내리지만, 또 어떤 때는 주관적, 감정적으로 행동한다. 또 삶의 단계에 따라 어렸을 때는 좀 더 이쪽에 있다가, 나이가 들면서 점점 더 스펙트럼의 반대쪽으로 옮겨갈 수도 있다. 아니면 환경에 따라, 내가 맡은 역할에 따라 달라지기도 한다.

인간 성격에 대한 지금까지의 연구 중 가장 신뢰성 있고 유용한 검사로 인정받는 대표적인 것은 '5대 성격요인' 분석이다. 이 분석 방법의 특징은 개인을 사고형, 감각형 등의 어떤 특정 성격 유형으로 분류하지 않는다는 점이다. 5대 성격요인 모델에서는 사람의 성격을 결정하는 특성을 크게 '외향성, 신경성, 성실성, 친화성, 개방성'이라는 다섯 가지로 나눈다.

외향성 수치가 높은 사람일수록 사람들과 더 많이 어울리며 더 열정적이다. 신경성 수치가 높은 사람일수록 스트레스를 쉽게 받고 걱정을 많이 한다. 성실성 수치가 높은 사람일수록 체계적이며 자제력이 강하다. 친화성 수치가 높을 사람일수록 다른 사람을 잘 믿고 공감을 잘한다. 개방성 수치가 높을수록 더 창조적이고 독창적이다.

중요한 점은 모든 사람에게는 이 다섯 가지 성격 특성이 고루 존재하지만, 개인 간에는 정도의 차이가 있다는 것이다. 사람들에게는 모두 '키'라는 특성이 있지만, 어떤 사람은 키가 크고 어떤 사람은 키가 작으며, 그리고 많은 사람들이 보통 정도의 키를 가지고 있는 것과 마찬가지다. 각각의 성격 특성 수치가 상대적으로 높거나 낮은 사람도 있지만, 대부분은 중간 정도의 수치를 보인다.

예를 들어 신경성은 미래를 걱정하고 불안해하는 것과 관련되어 있는데, 대부분의 사람이 어느 정도 미래에 대해 걱정하고 불안해한다. 신경성 수치가 매우 높은 사람은 더 자주 걱정하고 불안해하는 것뿐이다. 반대로 신경성 수치가 낮은 사람은 보통 사람보다 덜 걱정한다. 그런 까닭에 신경성 수치 스펙트럼의 양극단에는 우울증이나 공포를 느끼지 못하는 선천적 장애와 같이 병리적인 성격이 나타난다. 사실 모든 성격 특성에서 수치가 극단적으로 높거나 낮다면 병적인 요소가 있다. 그러므로 무조건 신경성 수치가 낮다고 좋은 것도, 높다고 나쁜 것도 아니다. 나머지 성격 요인들도 이렇게 수치상 정도의 차이로 나타나며, 대부분의 사람들은 종 모양 정규분포 그래프의 중간 부분에 몰려있다.

심리학자이자 인류학자인 대니얼 네틀은 인간의 성격 특성이 진화된 심리메커니즘이라고 주장한다. 외향성은 사회적인 종에서 집단 내 지위를 얻는 데 필요하며, 신경성은 위험을 피하는 데 도움이 된다. 성실성이나 친화성, 개방성도 마찬가지로 우리 조상들의 생존과 번식에 각각의 영향을 미쳤다. 이때 한 가지 의문이 든다. 그렇다면 왜 모든 사람이 동일한 성격 특성 수치를 보이지 않고, 사람마다 차이를 가지는 걸까?

대니얼 네틀은 이에 대해 다음과 같이 답한다. 본질적으로 더 좋거나 나쁜 성격은 없다고. 만약 가장 좋은 성격 특성 수치가 존재한다면, 자연선택 과정을 통해 이러한 특정 수치를 가진 사람들만 존재하게 되었을 것이다. 하지만 이미 우리는 모든 사람의 성격 특성이 동일한 수치를 가지고 있지 않음을 알고 있다. 5대 성격 특성의 각 수치는 장단점이 있으며, 환경에 따라 어느 정도의 수치가 더 적합한지 바뀐다. 그 덕에 다양한 성격 특성의 수치를 가진 사람들이 빈도의존적으로 계속 존재할 수 있게 된 것이다.

절대적으로 좋거나 절대적으로 나쁜 성격은 없다. 다만 주어진 조건과 환경에 따라, 특정 수치가 높은 것이 좋을 수도, 또 나쁠 수도 있는 것뿐이다.

마흔,

'인싸'와 '아싸' 사이

“내가 내성적인지 외향적인지

잘 모르겠다. 사람들과 어울리는 것을

좋아하지만 가끔은

방귀를 뀌어야 할 때도 있는 법이니까.”

_조 리셋

영국의 방송인 조 리셋이 자신이 내성적인지 외향적인지 잘 모르겠다고 말한 것처럼, 마흔의 문턱에 선 나 역시 내가 내향적인지 외향적인지 아직도 잘 모르겠다. 스무 살쯤에는 확실히 내가 외향적이라고 생각했는데 말이다. 요즘은 연락을 주고받는 친구도 얼마 없고, 새로운 사람을 만나는 일에도 그다지 관심이 안 가고, 음주가무도 예전처럼 재미있지 않다. 정확히 성격 요인 검사를 해보지는 않았지만 수치상으로 보면 분명 어렸을 때보다 외향성 수치가 낮게 나오지 않을까 싶다.

얼마 전에 친구들과 이야기를 하다 보니 친구들도 역시 스스로 예전보다 훨씬 덜 외향적이 된 것 같다고 한다. 외향적인 활동들에서 얻는 기쁨이나 만족감이 예전만큼 크지 않다는 데 다들 동의하는 게 재밌었다. 대학 다닐 때는 점심, 저녁으로 사람들과 약속을 잡고, 그러다가 같이 밥 먹을 사람이 없으면 동아리 방에라도 기웃거리며 밥 동무를 찾았건만. 이제는 점심시간에 친한 동료 한두 명과 함께 하거나 그것도 아니면 나 혼자 조용히 먹는 게 더 좋다니, 그동안 우리에게 무슨 일이 있었던 걸까?

"사람 성격은 쉽게 변하지 않는다."

"나이가 들면 성격도 변한다."

모순적으로 들리는 이 두 문장에 경험적으로는 공감이

된다. 이는 개인의 5대 성격 특성의 수치가 삶의 단계와 나이에 따라 분명 달라지지만, 같은 연령 집단 내에서의 상대적인 순위나 한 개인 안에서의 상대적인 수치는 꽤 일관성이 있기 때문이다.

사실 인간관계에서 큰 트라우마나 사고가 없는 경우에도, 대부분의 사람들은 나이가 들면서 외향성, 개방성, 신경성 등의 성격 특성 수치가 감소하는 경향이 있다. 그중에서도 특히 나이가 들수록 외향성 수치가 감소하는 것은 보편적이다. 10대 청소년이나 20대 청년들의 평균적인 외향성 수치는 40대 이상보다 월등히 높다.

외향성은 그 사람의 야망, 사회적 지위와 명예 추구, 그리고 운동이나 여행 같은 '특별한 경험'을 선호하는 것과 관련이 있다. 외향성이 높은 사람들은 도파민 관련 뇌 영역, 즉 보상회로의 반응성이 상대적으로 더 높다고 한다. 이는 같은 자극이라도 외향성 수치가 높은 사람은 더 큰 쾌감을 느낀다는 것을 의미한다. 새로운 것을 시도할 때 드는 육체적 또는 정신적 비용이 동일하다고 가정했을 때, 외향성 수치가 높은 사람은 외향성 수치가 낮은 사람보다 그에 따른 보상에서 더 큰 만족감을 얻는다. 그렇기 때문에 외향성 수치가 높은 사람들이 그러한 일들에 더 적극적이고 열정적으로 참여하는 것이다.

하지만 외향성이 높은 것이 항상 좋은 것만은 아니다. 외향적인 활동은 보통 육체적으로 활동적이고 에너지가 크게 소모되는 일들이 많은데, 그만큼 생존과 관련된 위험도 크다. 그래서 외향성이 높은 사람일수록 사고를 당하거나 빨리 죽을 가능성이 높다. 자원이 별로 없고 환경이 급격히 변하는 곳에서는 보상을 가능한 많이 추구하는 외향성이 높은 사람들이 생존과 번식에 유리하지만, 자원이 풍부하고 안정적인 환경에서는 신중한 사람들이 더 유리해진다는 연구도 있다.

외향성 수치가 나이와 반비례하는 것도 비슷한 맥락에서 이해할 수 있다. 청년기는 삶의 여러 측면이 더 불안정하다. 또 가진 것은 별로 없지만 파트너를 만나기 위해 가장 열심히 애쓰는 삶의 단계다. 이 때문에 외향성 수치가 생애사적으로 가장 높은 편이다. 하지만 이미 결혼해서 배우자나 아이가 있거나, 또는 안정적인 직장에서 어느 정도 직급에 오르는 성인기 후반이 되면, 리스크가 큰 외향적인 활동을 추구했을 때 얻는 것보다 잃는 게 많아질 수 있다.

또한 외향성이 높다고 해서 더 친사회적이거나 인간관계가 더 좋은 것은 아니다. 외향성이 높은 사람은 처음 만난 사람과 더 빨리 친구가 될 수는 있지만, 이는 인간관계를 잘 유지하는 것과는 큰 상관이 없다. 다른 사람들과 얼마나 조화를 이루고 공감하며 신뢰하는지를 보여주는 수치는 친화성이다. 나이가 들수록 감소하는 외향성과 달리 친화성은 나이에 따른 변화가 크지 않거나, 오히려 나이가 들어갈수록 더 높아지는 것으로 나타났다.

대부분의 사람들이 나이가 들면서 외향성 수치가 낮아지기 때문에, 청년기에 외향성 수치가 높았던 사람이라도 나이가 들면 상대적으로 외향성 수치가 낮아 보인다. 하지만 흥미로운 점은 함께 나이 든 자신의 또래들과 비교했을 때는 여전히 외향성 수치가 상대적으로 높게 나타난다는 점이다. 아마 그래서일 것이다. 거리에 삼삼오오 몰려다니는 청춘들을 보면 나도 그들처럼, 또는 예전의 나처럼 흥이 넘치게 놀 수 있을까 싶다가도, 이제 몇 명 없는 죽마고우들을 만나면 언제 그랬냐는 듯 흥부자로 거듭나는 게 말이다.

인간도 다른 인간들의

선택에 의해

길들여진 존재다

“우리는 다른 사람과

같아지기 위해서

인생의 4분의 3을 뺏기고 있다.”

_쇼펜하우어

하루는 친구가 집에 놀러 오면서 반려견을 함께 데려왔다. 요즘은 강아지 옷도 얼마나 잘 나오는지, 우리 애들 어렸을 때 입던 옷이랑 별 차이도 없다. 귀엽다고 간식을 이것저것 챙겨주면서 예뻐했는데, 낯선 장소에서 지나친 관심을 받아 긴장했던 모양이다. 강아지가 그만 화장실 실수를 하고 말았다. 자기도 잘못한 걸 안다는 듯이 당황한 눈빛이 역력했다. 괜찮다고 하는데도 풀이 죽어 고개를 떨구고 곁눈질로 눈치를 보는 모습이 영락없는 사람 모양새였다.

개는 인류가 최초로 길들이고 가축화한 동물이다. 개가 가축화된 시기는 3만 년에서 1만 7천 년 전 사이로 추정한다. 학자들에 따라 조금씩 다르긴 하지만, 농업혁명 이전 인류가 아직 수렵 채집 생활을 하던 시기에 회색 늑대 중 일부가 가축화되어 나타난 새로운 종이라고 알려져 있다.

신기하게도 우리와 우리가 길들인 동물들 간에는 공통적인 특징이 존재한다. 개 그리고 다른 길들여진 가축들처럼, 우리 역시 우리의 조상들보다 뼈가 가늘어지고, 얼굴이 납작해졌으며, 번식 주기가 짧아지고, 유아 시기에 천천히 자란다. 또 송곳니가 작아지고 공격성은 줄어들었다. 이러한 형질들을 '가축화 증후군'이라고 하는데, 테스토스테론 수치의 감소와도 연관이 있다.

이런 현상이 나타난 이유는 확실히 추측 가능하다. 인

간 집단이 점차 커지고 복잡해짐에 따라, 공격적인 사람은 다른 집단 구성원에게 배제되어 추방자 신세가 되었을 가능성이 높다. 공격적인 사람보다는 다른 사람들과 원만하게 지내는 사람이 사회적 파트너로 선호되었고, 그러다 보니 번식에 성공할 확률이 더 높아 그 형질이 인류 집단 내에서 빠르게 퍼졌을 것이다. 우리 조상들이 생존과 번식을 위해 광범위한 사회적 관계망에 의존하며 모여 살기 시작하면서, 우리는 우리 자신을 길들이게 된 것이다.

실제로 아주 어린 아기도 다른 사람의 눈치를 본다. 고사리 같은 손으로 자기가 움켜쥐고 있는 것이 괜찮은 건지, 자신의 행동에 문제는 없는지, 그리고 가장 중요하게는 자신이 '괜찮은지'를 판단하기 위해 다른 사람의 의견을 참고한다. 곁에 있는 보호자를 쳐다보고 그들의 얼굴 표정, 목소리, 행동을 통해서, '자존감'의 양분이 되는 '자부심' 또는 '당황스러움'을 느낀다. 게다가 인간은 인간에 의해 길들여진 다른 동물들에서 더 나아가 자존감이라는 감정을 사회생활의 나침반으로 삼는다.

암컷에게 선택받기 위해 화려한 꼬리를 활짝 펴는 수컷 공작새처럼, 우리 역시 다른 사람들에게 공동체 구성원으로 인정받고 선택받기 위해 최선을 다한다. 이렇게 괜찮은 사람이라는 것을 보여주려는 '자기 길들임(self-domestication)' 과정을 거치면서, 우리는 다른 사람들이 우리에 대해 어떻게 생각하는지 신경을 많이 쓰도록 진화했다. 덕택에 우리가 느끼는 자존감은 남들이 우리를 얼마나 가치 있는 존재로 평가하는지에 영향을 받는다.

자부심과 자긍심처럼 자존감이 높아지는 경험은 우리를 기분 좋게 만들어준다. 동시에 앞으로도 다른 사람들의 인정을 받기 위해 비슷한 행동을 계속하도록 부추긴다. 수치심이나 죄책감처럼 자존감이 떨어지는 경험은 다른 사람들의 인정을 받기 위해 더 열심히 노력해야 한다는 경고가 된다. 이런 자부심과 수치심의 저울 사이에서 우리의 자존감이 결정된다. 즉, 우리의 자존감은 다른 사람이 우리를 어떻게 생각하는지에 대한 종합적인 인식에 따라 결정되는 것이다.

그 결과 마흔이 된 우리는 여전히 다른 사람의 시선을 신경 쓰며 살아간다. 외출할 때 입을 옷을 하나 고를 때에도, 장례식장에서 조의금 봉투에 얼마를 넣어야 될지 고민될 때에도, 우리는 항상 다른 사람의 시선, 다른 사람의 행동, 다른 사람의 평가에 예민하게 반응한다. 특히나 우리나라 사람들은 사회적 비교와 인정에 훨씬 민감하다. 머리 스타일 하나, 패딩 하나도 허투루 넘기는 법이 없다. 철학자 쇼펜하우어가 "남들과 똑같아지려고 인생을 낭비한다"고 말한 것은 바로 이런 현상이 과도하게 흘러가는 지점을 지적하는 것일 테다.

혹 누군가는 왜 다른 사람들의 평가에 그렇게 연연하냐면서 남의 시선에 구속받지 않는 자유로운 삶을 살겠다고 생각할 수도 있다. 그렇지만 남들의 평가에 완전히 벗어나는 것은 불가능하다. 타인의 시선에 예민한 마음과 수치심, 죄책감 등의 사회적 감정은 기실 다른 사람이 아니라 스스로를 지켜주었던 마음의 도구이기 때문이다. 그러므로 우리는 아마 앞으로도 지금까지처럼 계속 다른 사람의 시선을 신경 쓰며 살아갈 가능성이 높다. 당연히 자긍심이나 자부심 같은 긍정적 감정뿐만 아니라 수치심, 죄책감 같은 부정적인 감정도 함께 따라다닐 것이다.

결국 우리에게는 건강한 자존감이 필요하다. 하지만 책상 앞에 앉아 자기계발서를 읽으며 나는 자존감 높은 사람이 되어야지, 하고 마음먹는다고 곧장 자존감이 달라지지는 않는다. 본래 자존감은 우리의 행복을 위해서 존재하는 것이 아니라 우리가 사회에서 인정받는 사람이 될 수 있도록 방향을 잡아주는 데 그 기원이 있기 때문이다. 그러니 차라리 나가서 다른 사람들을 만나 작은 호의라도 베푸는 편이 자존감을 높이는 데 더 도움이 될 것이다. 마흔의 자존감을 높이는 법은 머리로 아는 지식이 아니라 타인과의 교류 속에서 움직이는 행동력이다.

“내 안에

내가 너무도 많아…”

"우리는 성적 욕구가 있지만
수줍어하고, 호기심이 있지만
소심하며, 공격적이지만
협력적 태도를 보인다."

_윌리엄 제임스

백세희 작가의 에세이집 《죽고 싶지만 떡볶이는 먹고 싶어》는 제목에 대한 공감으로 많은 사랑을 받았다. 이 제목은 진화심리학에서 말하는 마음의 모듈성을 정말 잘 보여주고 있다. 물론 책 내용은 진화심리학과 아무 관계가 없다. 하지만 마음속에서 동시에 여러 가지 독립적인 심리 기제들이 존재하고 또 충돌하고 있다는 걸 실감하는 데에는 '죽고 싶지만 떡볶이는 먹고 싶은 마음'만한 게 없을 것 같다.

심리학의 시조새라고 할 수 있는 지크문트 프로이트와 윌리엄 제임스는 모두 인간 본성에 천착했다. 하지만 프로이트가 인간의 본능에는 생존 본능과 성적 본능 두 가지만 있다고 생각했던 반면, 제임스는 인간의 본능에는 서로 충돌하는 수많은 본능과 욕구들이 있다고 생각했다. 이에 대해 제임스는 이렇게 표현했다. "우리는 성적 욕구가 있지만 수줍어하고, 호기심이 있지만 소심하며, 공격적이지만 협력적 태도를 보인다." 현대 진화심리학자들은 제임스의 견해에 동의한다.

진화심리학에서는 수많은 본능과 욕구를 '마음의 모듈성'이라고 하고, 각각의 모듈은 우리 종이 진화하면서 과거에 무수히 마주쳤던 삶의 과제들을 반사적으로 빠르고 효율적으로 처리하기 위해 특화되었다고 생각한다. 덕택에 이러한 본능과 욕구들이 생존과 번식에 도움이 된 것은 사실이지만, 항상 그런 것은 아니다.

예를 들어 단맛을 좋아하는 성향이 그렇다. 우리 선조들이 처한 척박한 환경과 먹을거리를 찾아 헤매야 했던 삶의 방식에서는 이 성향이 분명 생존에 도움이 되었을 것이다. 그래서 그 후손인 우리들은 대부분 단맛을 좋아하는 성향을 타고난다. 하지만 편의점마다 셀 수도 없이 많은 저렴한 간식거리가 꽉꽉 들어차 있는 지금은 이 성향이 비만과 당뇨의 원인이 되어 오히려 생존에 방해가 되기 쉽다.

여기서 한 가지 주의할 점이 있다. 우리에게 진화한 마음의 모듈이 많다는 것은 우리의 행동이 늘 똑같은 방식으로 나타난다는 의미가 결코 아니라는 점이다. 이는 우리의 반응이 언제나 경직되어 있다거나 우리의 행동을 유전자가 결정한다는 등의 유전자 결정론적 논의가 아니다.

오히려 진화한 심리 기제들이 많으면 많을수록 우리의 행동은 더 유연해진다. 예를 들어 단맛을 좋아하는 본능과 사회적 비교와 인정을 추구하는 본능은 각각 달콤한 딸기 생크림 케이크를 먹고 싶은 욕망과 사회적으로 선망되는 체형을 갖고 싶은 욕망으로 이어진다. 우리의 삶에서 마주하는 대부분의 문제들은 두 가지 이상의 본능 및 욕망과 연관되어 있다. 그 결과 우리는 항상 딸기 케이크를 먹지도 않고, 항상 딸기 케이크를 참지도 않는다.

이렇게 다양한 마음의 모듈들이 공존하면서 하나의 상황에 동시에 작동하고 때로 충돌하기도 하는 것은 비단 현대인만의 문제는 아니었다. 우리 조상들 역시 수도 없이 많은 순간에 여러 가지 마음의 모듈이 충돌하는 경험을 했을 것이다. 홍적세의 우리 조상이 물웅덩이 근처에서 맘에 드는 짝을 발견했다고 해보자. 그런데 그 순간 수풀 속에서 맹수의 눈이 번뜩이는 것을 보았다면? 생존 욕구와 번식 욕구가 충돌하는 상황에서 재빨리 판단을 내려야 했을 것이다.

다만 우리가 사는 현대사회에서는 이러한 충돌이 더 미세하고 복잡해졌다. 우리가 아이를 낳으면 또는 둘째를 낳으면 회사 생활을 계속할 수 있을지 고민하는 동안, 우리 머릿속에서는 선조들과 마찬가지로 생존과 번식 욕구가 계속 충돌하고 있다. 하지만 예전과 크게 달라진 환경과 맥락 속에서 기존의 모듈만으로는 선택과 판단이 너무 어렵다.

결혼을 해야 할까 말아야 할까, 아이를 낳아야 할까 말아야 할까, 둘째를 가져야 할까 말아야 할까, 직장은 계속 다녀야 할까 말아야 할까. 모든 선택과 결정의 상황에서 내 안의 다양한 마음들이 충돌한다. 마음이 상호작용하는 방식은 너무 복잡해서, 다양한 심리 기제들이 어떤 순서와 방식으로 켜졌다 꺼졌다 하는지 우리는 아직까지 완전히 이해하지 못한다. 하지만 과학자들은 FMRI 영상 등을 이용해 특정 정보 처리를 위해 특화된 뇌 영역을 사진으로 확인하고 있다. 우리 마음속에 영역 특화적인 다양한 심리 기제가 있다는 것만은 거의 확실하다.

개개인의 성격은 달라도 마음의 모듈은 비슷하다. 어떤 모듈이 더 강하게 작동하거나 약하게 작동할 수는 있지만, 다양한 마음의 모듈이 내 안에서 서로 충돌하고 조율하여 의사결정을 내리는 과정은 보편적이다. 그러니 적어도 이제는 '내 안의 나'가 수없이 있음을 받아들이자. 각각의 마음은 자기만의 선호를 갖고 서로 경쟁한다. 하지만 모두 내 안에 있는 나 자신이다. 게다가 현대사회 환경의 급격한 변화로 인해, 아프리카 사바나에서 진화해 온 우리의 마음이 빠르게 직감적으로 판단할 수 있는 사안이 점점 줄어들고 말았다. 그동안 얼추 삶의 문제를 잘 풀어오던 마음의 모듈들이 갑자기 새로운 문제들을 맞닥뜨려 난감한 상태인 것이다. 그러니 이랬다 저랬다 결정장애를 겪고 있는 내 마음을 조금 더 이해해 줘야 하지 않을까?

나를 사랑한다는 것

"자기 자신을 사랑하는 것,
그것이야말로 평생에 걸친
로맨스의 시작이다."

_오스카 와일드

이 나이가 되어도, 아직도 내가 외향형인지 내향형인지, 감각형인지 사고형인지 잘 모르겠다. 하지만 괜찮다. 원래 대부분의 인간은 그 사이 어디쯤 있다. 아직도 중요한 문제마다 결정장애를 일으키며 갈팡질팡하는 내가 미덥지 못하지만, 원래 우리 마음속에는 수많은 마음의 모듈들이 혼란스럽게 뒤섞여 각자 자신의 지분을 요구한다.

대신 마흔쯤 되면, 내가 무엇을 할 때 행복한지, 언제 행복한지 좀 더 잘 알게 된다. 오랜 친구들과 삶의 고민을 터놓을 때 행복하고, 혼자만의 시간이 생겨서 좋아하는 작가의 책을 읽을 때도 행복하고, 힘든 프로젝트를 끝낸 뒤 동료들과 축하 파티를 즐길 때 행복하며, 일이 일찍 끝난 날 집에서 쿡방을 보며 새로운 레시피로 저녁을 준비할 때 행복하다.

나를 알기 위해서는 내가 외향적인 사람인지 내향적인 사람인지를 알아내야 하는 것이 아니라, 내가 무엇을 할 때 행복한 사람인지 아는 것이 제일 중요하다. 그리고 내가 좋아하는 행동을 다른 사람의 평가에 연연하지 말고 스스로 중요한 일로 인정해 주는 것이 중요하다. 그래야 스스로를 진정으로 사랑할 수 있다. 스스로를 믿고 사랑하는 사람만이 인생의 다른 모든 관계에서 흔들리지 않고, 다른 사람들의 의지도 되어줄 수 있다.

아일랜드 출신의 극작가 오스카 와일드는 "자기 자신을 사랑하는 것. 그것이야말로 평생에 걸친 로맨스의 시작"이라고 했다. 나이가 들면 부모님 품에서 독립하고, 연인이나 배우자와도 맘이 맞지 않으면 헤어지기도 하고, 자식도 언젠간 스스로의 인생을 찾아 떠난다. 하지만 나 자신은 좋던 싫던 내 삶의 모든 순간을 함께하는 유일한 존재다. 그런 존재를 사랑하지 않고서는 행복한 삶을 살기 어렵다. 이성과의 로맨틱한 사랑이나 부모자식 간의 애정에 대해서는 다들 깊이 고민하고 나름의 공부도 하고 하는데, 나 자신을 사랑하기 위한 노력은 왜 그만큼 하지 않는 걸까?

나를 사랑하는 방법으로 가장 손쉬운 것이 두 가지 있다. 첫 번째는 있는 그대로의 나의 단점과 상처를 인정하고 위로해 주는 일이다. 스스로 정말 콤플렉스라고 여기거나 마음속 깊은 곳에 자리 잡은 상처는 아무리 가까운 관계에서도 쉽게 드러내기 어렵다. 꽁꽁 숨겨놓은 스스로의 부족한 점은 나만이 진심으로 받아들여 줄 수 있다.

누구에게든 장점과 단점은 있다. 멀리서 보기엔 완벽한 사람도 알고 보면 마음속으로는 깊은 우울감에 힘들어할 수도 있고, 밖에서는 별 볼 일 없는 사람도 내면은 누구보다 강건할 수 있다. 다른 사람의 장점을 발휘할 수 있도록 격려해 주는 것은 어쩌면 더 쉬운 일이다. 나의 장점 역시 다른 사람들이 알아주고 그에 대한 인정을 받기도 한다. 하지만 부족한 점을 받아들이고 상처받은 마음을 위로하는 일은 어렵다. 특히 스스로의 단점이나 마음의 상처는 다른 사람에게 보이지 않도록 꼭꼭 숨겨놓고 싶어 하기 때문에 더 그렇다. 그러니 꼭 다른 누군가가 위로해 주길 바라지 말자. 나의 부족한 점을 이해해 주고 진심으로 위로해 줄 수 있는 사람은 다른 누구도 아닌 바로 나 자신이다.

두 번째는 내가 진심으로 좋아하는 것, 나를 정말 행복하게 하는 것이 무엇인지 찾는 일이다. 내가 무엇을 할 때 가장 행복한지 제일 잘 알 수 있는 사람도 마찬가지로 나 자신이다. 우리는 쇼핑몰 진열대 위의 수많은 상품과 서비스를, 사회적 지위나 부와 명예를 좋아한다고 믿지만, 우리의 욕망 중 많은 부분은 다른 사람과의 비교나 사회적 압력 때문에 진정한 선호와 관계없이 타인에 의해 형성된 욕망이다.

사회적인 성공을 위해 적극적으로 수많은 사람들을 만나며 넓은 인맥을 쌓고자 하는 사람도 실제로 좋아하는 것은 소수의 가까운 사람들과 평온한 시간을 보내는 것일 수 있다. 여러 모임에 빠지지 않고 참석하면서 거의 매일 같이 새로운 사람을 만나던 지인이 어느 날 갑자기 공황장애 때문에 회사를 그만두었다는 소식을 들었다. 사회생활에서 인맥을 쌓기 위해 수많은 사람들과 가벼운 만남을 이어

갔지만, 정작 본인이 좋아하는 것은 혼자만의 평온한 시간이나 가까운 사람과의 친밀한 관계였을지 모른다. 물론 인간은 사회적인 존재이기 때문에 타인들의 세상이 만들어낸 욕망의 바다에서 자유로울 수는 없다. 하지만 망망대해에서 길을 잃고 표류하지 않기 위해서는 자기 자신의 진정한 선호에 대한 고민이 필요하다.

누군가를 사랑할 때를 떠올려보자. 그 사람이 어떤 사람인지, 그 사람이 언제 무엇을 할 때 행복한지 알아내서, 그나 그녀가 행복해하는 일을 해주고 싶어진다. 나와의 관계에서도 마찬가지이다. 나를 사랑하기 위해서는 나 자신을 알고 이해하는 것이 먼저다. 내가 어떤 사람인지 아는 것, 내가 무엇을 할 때 행복한지 알고, 행복해지는 일을 할 수 있도록 스스로에게 관용을 베푸는 것이야말로 나를 사랑하는 방법이다.

나는 좋은 사람인가,
나쁜 사람인가?

"내 모습 그대로 미움 받는 것이
다른 누군가의 모습으로
사랑 받는 것보다 낫다."

_앙드레 지드

친한 친구가 얼마 전에 팀장을 달았다. 축하도 할 겸 오랜만에 자리를 마련했는데, 생각보다 친구 얼굴이 밝지 않았다. 오만 가지 진상 팀장을 겪으며 '나는 팀장 되면 저러지 말아야지', '직원들에게 존경 받는 좋은 팀장이 되어야지' 다짐하던 친구였다. 다른 친구들도 너는 능력도 있고 성격도 좋아서 정말 좋은 팀장이 될 거라고, 우리 팀장도 너 같았으면 좋겠다고 입을 모으던 친구였다. 그런 친구가 팀장이 된 지 한 달 만에 자기가 좋은 팀장이 될 수 있을지 모르겠다며 고개를 내저었다.

"요즘 신입 사원들은 도대체 이해가 안 간다. 왜들 그런지 모르겠어. 하루는 실수가 너무 많길래, 자기가 맡은 일에 책임감을 가지라고 했더니, 그 다음부터는 어찌나 나를 꼰대 보듯 하는지. 요즘은 회사에서 나쁜 상사로 찍히기 싫으면, 이러지도 저러지도 못해. 아니면 진짜 내가 꼰대인 걸까?"

우리가 신입 사원이었을 때도 상사들은 죄다 꼰대였다. 그런데 이제는 내 친구가 상사의 입장에서 신입 사원 원망을 하고 있다니 격세지감이다. 심지어 이제는 내가 한때 꼰대라고 확신했던 '나쁜' 상사들이 어느 정도 이해가 간다. 그들도 그들 나름의 고충이 있었을 것이다. 물론 아래 직원들에게 인신공격적 모욕을 하는 상사는 절대적으로 예외다. 그들에게는 일말의 공감도 가지 않는다.

어쨌거나, 업무 성과를 위해 직원들이 고치거나 바꿔야 될 점을 지적하고 시정하도록 해서 협력의 시너지가 발휘되도록 만드는 것은 리더의 역할 중 하나다. 그렇지만 그런 말을 듣는 입장에서야 기분이 좋을 리 없다. 게다가 '당연히 해야 하는 일'이 어디까지인지에 대해서도 서로 간의 기준이 다르니, 각자의 기준에서는 상대방이 나쁜 사람일 수밖에 없다.

원래 리더의 자리는 고독한 거라고, 다른 사람한테 욕을 먹는다는 건 사회적으로 성공했다는 증거라고 위로를 건넸지만, 별로 도움이 된 것 같진 않았다. 그래서 위로가 될까 싶어 '좋은 사람'에 대한 실험 이야기를 슬쩍 꺼냈다.

인간의 친사회성을 연구하는 연구자들은 친사회적 경향이나 협력적 행동을 확인하기 위해 행동경제게임을 종종 이용하곤 한다. 경제게임이라고 하면 보통 경제학을 떠올리지만, 실제로는 진화심리학이나 진화인류학 등에서도 많이 쓰인다. 나 역시 석사 논문 실험에 '공공재 게임'이라는 행동경제게임 중 하나를 이용했었다.

공공재 게임은 여러 명의 참여자들이 익명으로 공공재에 투자해 수익을 나눠 갖는 게임이다. 익명으로 투자하면서도 수익은 똑같이 나누기 때문에, 참여자들은 협력의 비용을 아끼고 혜택의 이익만 누리는 무임승차의 유혹을 느낄 수밖에 없다. 그래서 참여자들의 자발적 협력으로 공공재가 유지될 수 있는지, 아니면 무임승차자 문제로 공공재가 유지될 수 없는지 확인하는 것을 목적으로 하는 게임이다.

여기서 친사회적인 참여자는 당연히 무임승차의 유혹을 떨치고 공공재에 기여한 사람이다. 많은 사람들이 공공재 게임을 처음 할 때는 자기에게 주어진 투자 밑천의 절반 정도를 공공재에 기여하는데, 이 정도면 분명 좋은 사람이라 할 수 있을 것이다. 문제는 공공재 게임을 반복할 경우에 드러난다. 회가 거듭될수록 무임승차자 문제가 커지고 협력이 붕괴되는 현상이 나타나기 때문이다. 이때 협력을 유지하기 위해서는 몇 가지 조건들이 선행되어야 한다. 집단 협력을 위한 명확한 규칙이 있어야 하고, 구성원들 스스로 감시와 처벌을 통해 규칙을 위반한 구성원에 대해 적절한 제재를 가할 수 있어야 한다. 실제로 인간 사회에서도 마찬가지다. 대규모 산업사회든, 소규모 부족사회든 어디서나 대부분 규범 위반에 대한 처벌 기제가 존재한다.

공공재 게임에서도 마찬가지로 무임승차자를 제재할 수 있는 처벌 기회를 추가하고, 공공재 게임을 같이 하는 사람들끼리 상호 감시와 제재를 할 수 있도록 하면, 집단 협력이 유지될 수 있다. 이때 재미있는 사실이 하나 있다. 다른 사람을 처벌하기 위해서 개인적 비용을 지불해야 한다고 규칙을 세운 경우에도, 일부 참여자들은 적극적으로 무임승차자를 처벌한다. 이런 유형의 참여자들을 처벌자라고 부르는데, 이 처벌자들이 좋은 사람인지 나쁜 사람인지에 대한 평가는 관점에 따라 좀 엇갈린다.

협력하지 않는 사람을 처벌하는 이들 덕분에 대부분의 참여자들이 무임승차의 유혹을 버리고 협력을 선택하는 것은 사실이다. 덕분에 공공재가 유지되고 협동의 과실은 더 커진다. 다시 말해 처벌자가 개인적인 비용을 들여 무임승차자를 처벌하는 행동은 집단의 이익을 증가시킨다. 그래서 협력의 진화를 연구하는 일부 연구자들은 비협력자에 대한 처벌이야말로 초사회적인 행동이라고 주장하기도 한다.

그러나 정작 공공재 게임의 참여자들은 처벌자를 그다지 좋아하지 않는다. 심지어 본인이 처벌당하지 않은 참여자들조차 무임승차자를 처벌한 참여자를 그다지 '좋은 사람'이라고 평가하지 않는다. 그리고 다음 게임의 파트너를 선택할 수 있는 기회가 주어지면 대부분 처벌자와 짝이 되는 것을 피하고자 한다. 실험 참여자들이 생각하는 '좋은 사람'의 기준은 연구자들의 생각과 다른 모양이다. 그런데 더 흥미로운 점은 참여자들이 처벌자를 좋아하지는 않지만, '신뢰할 수 있는' 혹은 '존경할 수 있는' 사람으로 평가한다는 점이다. 그리고 다음 게임에서 어쩔 수 없이 처벌자와 파트너가 되면, 더 착하게 행동하려는 경향을 보인다.

자신의 이득을 포기하면서까지 집단의 협력을 위해 애썼어도 '좋은 사람'이란 말조차 들을 수 없다니…. 모두에게 좋은 사람이 되는 길은 이토록 험난하다.

사실 살다보면 언제나 좋은 사람일 수가 없다. 또 어떤 행동이 좋은 행동인지 아닌지도 애매할 때가 많다. 좋은 행동이 반드시 내 의도만으로 결정되거나 다른 사람의 평가로만 결정되는 것은 아니기 때문이다. 나는 좋은 의도로 한 행동이라도, 상대방에게는 나쁜 행동일 수도 있고, 또 제3자나 더 큰 맥락 속에서 선악의 기준이 달라질 수 있다. 그러니 좋은 사람, 나쁜 사람으로 딱 잘라 구분할 수도 없고, 또 그럴 필요도 없다. 그럼에도 모두에게 좋은 사람이고 싶은 마음이 자꾸 커진다면, 좋은 사람이란 평가를 듣지 못해 속상한 마음이 든다면, 프랑스의 소설가 앙드레 지드의 말을 되새길 필요가 있다. "내 모습 그대로 미움 받는 것이 다른 누군가의 모습으로 사랑 받는 것보다 낫다."

3장

행복이라는 말

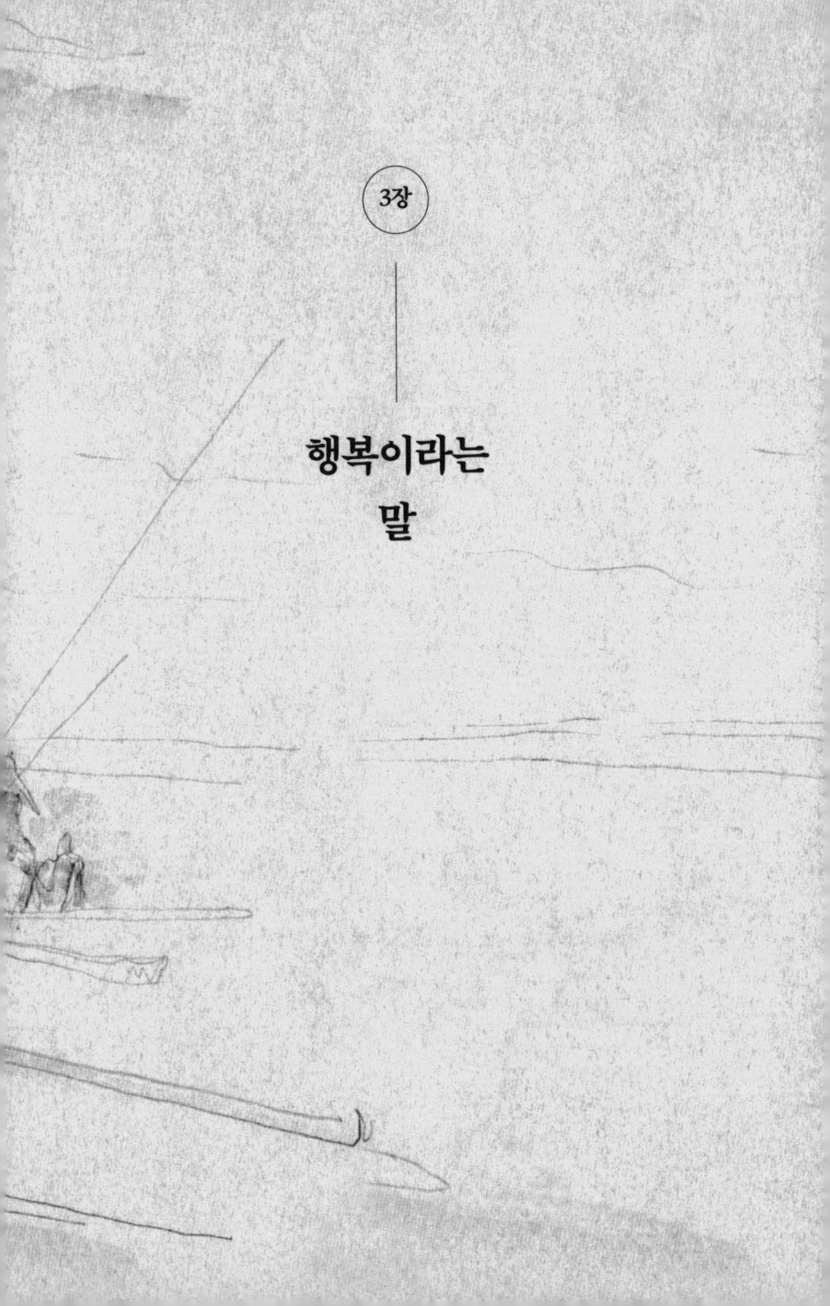

우리는 언제쯤

행복해질 수 있을까?

“행복은 장마철이 끝나기를 기다리며
하늘을 올려다보는 것처럼 기약 없이
기다려야 하는 행운이 아니다.”

_소냐 류보머스키

하루는 친구가 직장에서 승진하고, 내 집 마련에만 성공하면 행복할 것 같다며 한숨을 내쉬었다. 우리는 언제쯤 행복해질 수 있을까? 직장에서 승진하고 내 집 마련에 성공하면 그 뒤에는 정말 행복할까?

심리학 교과서의 원론 수준에서 따져보면, 우리는 아무리 좋은 일이 일어나더라도 금세 익숙해져서 예전의 행복 수준으로 돌아가는 '쾌락 적응' 현상을 겪기 때문에, 승진이나 내 집 마련에 성공하더라도 친구의 행복에는 (아마도 한 1년쯤 뒤에는) 큰 영향을 미치지 않을 것이다. 하지만 이런 말은 잘 와닿지 않는다. 승진이 되지 않거나 내 집 마련 걱정을 계속 안고 살아야 한다면, 기분이 더 좋지 않을 테니까. 곰곰이 생각해 보면 이러한 일들은 행복한 감정보다 걱정과 근심, 불안과 더 깊은 관련이 있는 것 같다.

쾌락 적응 운운하는 대신 친구에게 그럼 지금은 언제 행복한지 물어보았다. 그녀는 친구와 맛있는 음식을 함께 먹을 때, 쇼핑하다 맘에 드는 옷을 발견했을 때 행복하다고 했다. 승진이나 내 집 마련 전에도, 또 그 이후에도 행복한 순간을 물으면 아마 비슷한 대답이 돌아올 것이다.

대학을 졸업하고 취업을 준비하던 시절 우리는 취직만 된다면 이 모든 근심 걱정이 사라지고 행복할 줄 알았다. 그리고 정말 합격 통보를 받고 입사하던 순간만큼은 도파민이 솟구치는 쾌감을 느꼈던 게 사실이다. 하지만 바로 1년 뒤에 우리는 다시 여기에 앉아 끔찍한 직장생활과 직장 상사에 대한 푸념을 늘어놓으며 함께 노가리를 뜯지 않았던가. 결혼을 할 때도, 첫째 아이를 가질 때도 상황은 비슷하다. 결혼을 하고 싶은 사람은 결혼만 하면, 아이를 갖고 싶은 사람은 아이만 생긴다면 행복할 거라고 생각하기 쉽지만, 그토록 원하는 그 순간이 지나고 나면 우리의 행복은 다시 원래대로 돌아온다. 그나마 결혼의 행복은 좀 더 오래 가는 것 같은데(좋은 사람을 만난 경우에 말이다) 결혼한 부부들은 약 2년 정도 원래의 행복감보다 더 높은 행복 수치를 보이고 그 후에 다시 원래대로 되돌아간다고 한다. 흥미롭게도(아이가 있는 독자라면, 예상한 대로) 자녀의 탄생은 사람들의 행복에 대한 기대와는 반대로 작용한다. 많은 부부들이 아이를 낳으면 더 행복해질 거라고 믿고 아기를 갖지만, 연구에 따르면 아이가 생기고 처음 몇 년간은 부모의 행복이나 부부 관계의 질이 급격히 떨어진다.

목표에 대한 걱정과 불안은 우리가 목표를 성취하기 전까지 최대한의 역량을 발휘하도록 한다. 그리고 만약 우리가 좋은 결과를 얻는다면 우리에게 순간적으로 큰 쾌감을 줄 것이다. 이러한 감정은 도파민과 관련되어 있는데, 이는 쾌감을 다시 경험하기 위해 또다시 비슷한 선택을 반복하도록 하기 위한 우리 몸속의 장치다. 하지만 도파민의 분비와 효과는 오래 지속되지 않는다. 좋은 결과를 얻은 그 순간에는 폭발적으로 증가하지만 바로 감소하기 시작해서 곧 사라진다.

아무리 좋은 측면이 지속된다 한들 마찬가지다. 그래야 우리가 그러한 기분을 다시 느끼기 위해 비슷한 행동을 반복할 테니까 말이다. 오랜 노력 끝에 취업에 성공했던 순간을 떠올려보자. 왜 취업 이후의 행복은 무조건 합격 통보를 받는 순간의 쾌감보다 낮고, 그마저도 점점 희미해져 가는 걸까? 그 순간의 행복이 계속 지속되기만 한다면 많은 사람들이 행복한 삶을 살 수 있을 텐데 말이다. 하지만 만약 그렇게 된다면 승진을 위해 노력하거나, 새로운 사람을 만나 가정을 꾸리거나, 자식을 낳을 동력이 사라져 버릴지 모른다. 이미 이렇게 행복한데 무언가를 더 할 필요가 있겠는가.

과거의 우리 선조들도 그랬을 것이다. 운 좋게 거대한 매머드 사냥에 성공했을 때 쾌감이 사라지지 않고 계속 지속되었다면, 이 행복한 사냥꾼은 더 이상 사냥을 할 필요성을 느끼지 못하고 굶어 죽었을 것이다. 쾌락 적응은 좋은 결과를 내는 일을 많이 하도록 우리 몸이 고안해 놓은 정교한 장치다. 이러한 경향성은 우리가 살아남는 데는 도움이 되지만 우리의 정서적 행복에는 방해가 된다. 하지만 어쩌겠는가. 인간은, 아니 모든 생명체는 행복하도록 진화한 것이 아니라 생존하고 번식할 수 있도록 진화한 것을.

궁정심리학자 소냐 류보머스키는 행복이란 장마철이 끝나기를 기다리며 하늘을 올려다보는 것처럼 기약 없이 기다려야 하는 행운이 아니라고 했다. 승진이나 내 집 마련, 결혼과 출산 등 또 다른 인생의 과제들에 대한 걱정과 불안은 당연한 일이다. 하지만 그렇다고 해서 미래에 대한 염려가 소중한 현재의 행복을 너무 많이 가져가도록 두지 말자. 더 이상 행복을 미루다가 지금의 행복을 놓쳐서는 안 될 것이다.

원하는 것과

좋아하는 것은 다르다

"대부분의 사람들에게 행복이란
푸짐한 식사를 한 후 느끼는
식욕과 같다."

_대니얼 네틀

진화심리학자 대니얼 네틀은 우리가 아주 강렬하게 원하는 것을 얻었어도, 일단 얻고 난 뒤에는 그것을 계속 가지고 있다 해도 기쁨을 전혀 느끼지 못할 수 있다고 말한다. 그래서 그는 행복을 푸짐한 식사를 한 후 느끼는 식욕에 비유하기도 했다. 그런데도 우리는 원하는 것을 얻었을 때 우리가 행복해질 것이라고 믿으며 욕망을 향해 질주한다.

욕망하는 것과 이를 얻기 위한 행동은 뇌의 도파민 시스템과 관련되어 있다. 하지만 흔히 행복한 기분이라고 여기는 쾌감과 즐거움은 세로토닌 시스템의 작용이다. 그래서 뇌를 연구하는 학자들은 '좋아하는 것'과 '원하는 것'을 통제하는 별개의 신경 경로가 존재한다고 말한다.

이에 대해 한 가지 흥미로운 실험이 있다. 실험실에서 전기 자극을 이용해 쥐의 뇌에서 도파민을 방출하도록 하면 쥐는 '좋아하는 반응' 없이도 전기 자극을 강렬하게 원한다. 이때 스스로 전기 자극을 주는 버튼을 누를 수 있게 하면, 전기 자극과 도파민에 중독된 쥐는 옆에 먹이가 있어도 버튼만 누르다 굶어 죽는다. 반면 뇌에서 도파민 전달을 차단시킨 쥐에게 단맛이 나는 수액을 먹이면, 뇌에서 '좋아하는 반응'은 나타나지만 먹고자 하는 동기, 즉 욕망이 사라져 스스로 먹지 않는다. 실험 결과를 통해 알 수 있듯이, 좋아하는 것과 원하는 것 모두 생존과 번식을 위해 필요한 반응이다. 하지만 현대사회에서 넘쳐나는 자극들은 우리를 좋아하는 것에서 분리시켜 원하는 것에만 몰두하게 만들 수 있다.

생쥐와 인간이 어떻게 비교가 되겠냐고 분개할 수도 있겠지만, 사람들이 술, 담배, 마약, 도박 등에 중독될 때도 실험실 생쥐의 뇌에서 일어난 것과 비슷한 과정을 거친다. 심지어 모두가 다 아는 해로운 것들만 이러한 도파민 중독을 일으키는 것도 아니다. 성취지향적인 사람일수록 목표를 달성하고 성취하는 데서 얻는 쾌감이 도파민 중독과 같은 현상을 일으킬 수 있다. 학교에서 좋은 성적을 거두고, 원하던 대학에 들어가고, 자격증을 따고, 취업에 성공하고, 다이어트에 성공하는 등등 현대사회에서 우리가 원하는 모든 것들은 대부분 우리가 좋아하는 것들, 예를 들어 친구와 놀고, 사랑에 빠지고, 맛있는 음식을 먹고, 실컷 늦잠 자고 하는 것들을 억눌러야만 얻을 수 있는 것들이다.

개인의 성취를 찬양하고 자극하는 현대사회에서 우리는 점점 실험실 속 생쥐처럼 좋아하는 것에 대한 감각을 잃어버리고 욕망의 버튼에만 매달리고 있는 걸지도 모르겠다. 이런 욕망은 우리가 성취를 이루도록 돕기도 하지만, 좋아하는 것들에서 얻을 수 있는 행복을 우리에게서 떨어뜨려 놓는 것도 사실이다.

믿기지 않을지도 모르지만, 우리가 원하는 것들, 즉 많은 돈, 강남 아파트, 멋진 파트너와의 결혼, 안정적인 직장, 높은 지위로의 승진은 그 자체로 행복을 가져다주지 않는다. 우리가 구두쇠 스크루지 영감이 아닌 이상 금고에 가득 찬 돈을 보는 것만으로 행복을 느낄 수는 없다. 요즘은 더욱이 돈이 은행 통장이나 휴대폰 화면 속에 깨알만한 숫자로 찍혀있을 뿐이라 이래선 제아무리 스크루지라도 행복하지 않을 것이다.

사실 우리의 환경과 조건이 행복에 미치는 영향은 생각보다 크지 않다. 우리가 느끼는 행복의 약 10% 정도만이 환경에 따라 달라진다고 한다. 그리고 이때 말하는 환경이란 가정생활, 소득 수준, 사회경제적 지위 등등 모든 외부 환경 조건을 다 포괄하는 것이니, 하나하나의 조건이 행복에 미치는 영향은 더욱 미미하다. 한마디로 말해서, 코로나19로 인해 행복 수준이 떨어질 수는 있겠지만, 잘 쳐도 10% 떨어지는 게 고작이라는 것이다.

그럼 나머지 행복은 어디서 오는 걸까? 행복을 연구하는 과학자들은 행복의 50%는 유전의 영향을 받는다고 한다. 우리의 유전 조건이나 환경 조건을 바꾸는 것은 현실적으로 어렵다. 그러니 행복의 40%를 구성하는 마지막 요소에 주목할 필요가 있다. 행복의 파랑새는 바로 우리가 의도적으로 행하는 일상의 활동들 속에 있다.

행복 심리학자 연세대학교 서은국 교수 연구진은 우리나라 사람들의 일상을 실시간으로 조사하여 행복을 측정한 적이 있다. 조사 과정은 휴대전화를 이용해 현재 무엇을 하고 있으며 얼마나 즐거운지를 대학생, 직장인, 주부, 노인 등 다양한 사람들에게 물어보는 것으로 이루어졌다. 그 결과 우리나라 사람들이 하루 동안 가장 즐거움을 느끼는 행위는 두 가지로 나타났다. 먹을 때와 대화할 때. 만약 이 답변이 너무 원초적이고 허무하다고 생각한다면, 어쩌면 당신은 지금 행복을 너무 멀리서, 아니면 엉뚱한 곳에서 찾고 있는 중일지도 모른다.

우리는 완벽한 몸매를 원하지만 달콤한 케이크를 먹을 때 즐거움을 느낀다. 우리는 성공을 원하지만 가족이나 친구들과 시간을 보내며 관계를 돈독히 할 때 즐거움을 느낀다. 우리는 돈을 벌기를 원하지만, 돈을 쓸 때 즐거움을 느낀다. 우리가 원하는 것, 즉 욕망 시스템만이 우리를 지배하게 되면 우리가 아무리 원하는 것을 많이 얻더라도 우리는 즐겁지 않을 것이다. 원하는 것과 좋아하는 것이 다를 수 있다는 사실을 이해하지 못한다면, 우리는 끊임없이 엉뚱한 곳에서 행복을 찾아 헤매게 될지 모른다.

혹시 행복이
'보이지 않는
고릴라'라면…

"행복의 한쪽 문이 닫히면
다른 쪽 문이 열린다.
그러나 우리는 닫힌 문을
계속 보다가 열린 문을 보지 못한다."

_헬렌 켈러

코로나 감염자 증가 폭이 하루에 천 명을 넘어가면서 4차 확산이 왔을 때 일이다. 결국 걱정했던 대로 초등학교 전면 온라인 수업 대체 행정명령이 떨어지고야 말았다. 첫째, 둘째 모두 온라인 수업을 받다 보니 아웅다웅이 끊이질 않았고, 집중력이 떨어지는 초등학생 아이를 위해 옆에서 같이 수업을 듣는 일도 종종 있었다. 그러던 어느 날이었다. 둘째가 보던 EBS 교육 프로그램에서 대니얼 사이먼스의 '보이지 않는 고릴라' 실험과 연관된 내용이 나오기에 반가운 마음이 들어 유심히 보게 됐다.

인지심리학자 대니얼 사이먼스의 실험 내용은 이렇다. 그는 대학생 실험 참여자들에게 흰옷을 입은 팀과 검은 옷을 입은 팀의 농구 시합 영상을 보여주었다. 그러면서 참여자들에게 흰옷을 입은 팀이 몇 점을 넣었는지 계산하라는 주문을 했다. 하지만 실험의 목적은 그게 아니었다. 농구 경기가 한창일 때 고릴라 탈을 뒤집어쓴 사람이 코트를 가로질러 가도록 하고, 참여자들이 이를 인지하는지 못하는지를 확인하기 위해 고안된 실험이었다. 영상이 끝나고 점수 계산에 집중했던 참여자들에게 고릴라를 보았는지 묻자, 예상대로 절반 이상의 참여자들이 고릴라를 보지 못했다고 응답했다. EBS 방송에서도 똑같은 설정으로 농구하는 사람들을 보여주며, 아이들에게 흰색 팀이 공을 넣은 횟수를 세어보라고 했다. 역시나 우리 둘째도 횟수를 세느라 고 고릴라 탈을 쓰고 지나가는 사람은 보지 못했다. 프로그램은 교육방송답게 눈에 보이는 것만이 진실이 아니라는 교훈적인 이야기로 끝이 났다.

하지만 우리 둘째는 그 교훈이 그다지 맘에 들지 않았던 모양이다. 입을 삐죽하며 한마디 한다. "아니 그럴 거면 고릴라를 찾으라고 했어야지, 왜 공 넣는 걸 세라고 해~! 고릴라 보라고 했으면 고릴라 찾았을 텐데~!" 자기 딴에는 열심히 들여다보고 있었는데 억울한 모양이다. 나름 일리가 있는 항변이었다.

나도 비슷한 생각을 한 적이 있다. 수많은 걱정거리나 불안거리들을 피하려고 눈을 부릅뜨고 쳐다보다가 정작 진짜 행복은 보이지 않는 고릴라처럼 내 곁을 지나가 버린 건 아닐까? 나도 모르는 사이에 불안과 걱정에 집중하는 내 마음에게 한마디 하고 싶어진다. 행복은 고릴라일지도 몰라!

진화심리학에서는 '주의편향(돌출 효과)' 이론이 있다. 수많은 사진을 한데 펼쳤을 때, 사람들은 오토바이나 나무 같은 것들을 찾아내는 데 걸리는 시간보다 뱀과 같이 우리의 진화적 적응 환경에서 선조들의 생존에 큰 위협이 되었던 두려운 것들을 더 재빨리 찾아내는 경향이 있다. 위험요인에 주목하는 본성이다. 두려운 것들은 두드러지게 인지

되고 쉽게 우리의 눈에 띈다.

진화한 심리 기제는 우리에게 삶의 위험 요소들을 피하거나, 과거 생존과 번식에 도움이 되었던 여러 가지 것들을 욕망하는 데 집중하도록 만든다. 문제는 우리의 진화한 심리 기제들 때문에, 즉 우리도 모르는 사이에 주의를 기울이고 있는 것들 때문에, 행복이 바로 우리 곁에 있어도 보지 못할 수 있다는 점이다. 누가 시킨 것도 아니고, 내가 의식적으로 결정하지도 않았지만, 우리는 우리도 모르게 골대에 들어가는 공에만 집중한 채 고릴라를 보지 못하고 있다.

미국의 사상가 헬렌 켈러가 "행복의 한쪽 문이 닫히면 다른 쪽 문이 열린다. 그러나 우리는 닫힌 문을 계속 보다가 열린 문을 보지 못한다"고 말한 것도 이 같은 맥락일 것이다. 우리는 공이 골대에 들어가는 횟수에 행복이 달려있다는 듯이 공이나 골대만 바라보고 있지만, 어쩌면 이것들은 우리의 행복과 크게 관련이 없거나 그다지 큰 영향을 끼치지 않을지도 모른다. 혹시 골대만 쳐다보고 있는 사이에, 행복이란 고릴라가 수도 없이 지나가 버렸을지도 모른다.

최선을 다해 열심히 살고 있는데도, 행복이 너무 멀리 있는 것처럼 느껴진다면, 잠시 미래에 대한 불안과 욕망의 레이더를 끄고 현재의 나에게 온전히 집중해 보자. 이를 위해서는 우리의 본능적인 심리 반응들을 의식적으로 꺼두어야 하기 때문에 생각보다 쉽지 않을 수도 있다. 그렇지만 우리에게 생존을 위해 진화한 심리적 편향들이 존재한다는 것, 다시 말해 현재의 소소한 행복을 느끼는 것보다 미래에 대한 불안과 욕망에 더 집중하기 쉽다는 것을 알고 있는 것만으로도 도움이 된다. 이것을 인지하면 가끔씩 의식적이고 적극적으로 행복의 고릴라를 찾는 일이 한층 수월해진다. 즐거움과 행복의 감정은 과거의 나도, 미래의 나도 아닌 지금 이 순간 살아있는 내가 경험하는 현재의 일이다.

행복을 한 바구니에
다 담지 마세요

“자존감을 한 바구니에 다 담지 말라.”

_패트리샤 린빌

매일 오후 2~3시쯤 되면 대학원 연구실 컴퓨터를 끄고 주섬주섬 가방을 챙겨 나온다. 두 아이가 학교를 마치고 이리저리 학원을 간다 해도, 내가 학교에서 집까지 가는 시간을 고려하면 그쯤 연구실에서 나와야 이제 막 초등학교 1학년에 입학한 둘째 하원 시간까지 집에 들어갈 수 있다. 늦게까지 남아서 연구에 집중하고 있는 다른 연구원들의 뒤통수를 바라보며 부러운 마음이 들 때마다, 또 늦깎이로 대학원에 입학해서 나이가 부담스러울 때마다 '지금이라도 학업과 연구에만 전념할 수 있다면 나도 뭔가 해낼 수 있을 텐데' 하는 자조 섞인 한숨이 나온다.

애들 학교 보내고, 수업 듣고, 밤에는 연구 프로젝트에서 떨어진 일을 한다. 뭐 하나 만족스럽게 해내지도 못하면서 내가 왜 이러고 있는지 모르겠다며 친구에게 하소연 섞인 카톡을 보냈는데, 친구의 반응이 의외다. "대단하다, 슈퍼 맘!"

아니다. 슈퍼 맘은 없다. 엄마도, 학생도, 연구원도 다 그저 그런 사람이 있을 뿐. 오히려 친구는 지금까지 15년간 성실하게 직장생활을 해낸 대기업 중견 관리자인 것을…. 내 입장에서는 친구가 더 슈퍼 직장인이다. 그녀는 억대 연봉자, 나는 최저임금 계약직 연구원이 아닌가. 한참 나이 어린 선배 대학원생들에게 이것저것 물어보고 도움을 받아가면서 공부하는 어리버리한 고학생, 아이들에게는 맨날 바쁘다며 등 돌리는 매정한 엄마일 뿐이다. 결국 마흔이 되었지만 뭐 하나 잘한다고 내놓을 만한 것이 없다.

하지만 이런 역할 수행에도 좋은 면이 분명 있다. 하나만 하면 집중이 높아지긴 하지만 대신 그 분야에서 잘 안 되면 정신적 타격이 크다. 반면에 여러 역할을 하고 있으면, 그중 하나에서 정신적 데미지를 입어도 다른 것들이 있으니까, 라면서 데미지가 완화되는 경향이 있다.

심리학자 패트리샤 린빌은 이를 '자기 개념의 복잡성'이라고 칭하고, 자기 개념이 복잡할수록 좌절이 덜하다는 연구 결과를 보인 바 있다. 우리는 사회적 역할이나 관계, 활동, 개인적인 목표 등 다양한 맥락에서 구분되는 자기 이미지들이 합쳐져서 더 큰 범주의 자기 개념을 형성한다. 스스로 각각의 역할이나 관계 등을 얼마나 중요하게 생각하는지에 따라 같은 상황에서 자기 개념이 단순할 수도 있고 복잡할 수도 있다.

예를 들어 나는 나 스스로를 '박사과정 연구원'으로만 생각할 수도 있지만, 관점을 달리해서 '대학원생이자 연구원이며 두 아이의 엄마이고 누군가의 친구인 사람'으로 생각할 수도 있다. 후자의 경우 전자보다 자기 복잡성이 더 크다. 린빌은 자기 개념을 많이 가지고 있는 사람일수록 한 역할에서의 성공이나 실패가 전반적인 자존감과 행복감에 미치는 영향이 줄어든다는 사실을 발견했다.

그러고 보니 일전에 다른 연구원 동료가 비슷한 이야기를 했었다. 열심히 연구해서 좋은 성과를 내고 있던 그녀였지만 한 번 슬럼프가 오면 너무 힘들다는 것이다. 연구가 잘 될 때는 기분이 날아갈 것 같다가도, 연구가 막히거나 잘 풀리지 않을 때는 제대로 된 연구자가 되지 못하는 게 아닐까 하는 마음에 압도되어 멘탈이 무너져 버린다고 했다. 그러면서 나처럼 연구자로서의 삶 말고도 다른 삶이 있는 사람들이 부럽다고 했다. 그녀의 이야기를 듣고 한참 동안 내가 그동안 도망치고 싶었던 다양한 역할들에 대해 다시 생각해 보게 됐다.

상대적으로 자기 개념이 덜 복잡한 사람들은 더 적은 역할 수행에 몰입할 수 있고, 한 분야에서 좋은 성과를 거둘 가능성이 더 높다. 연구에 집중에서 몰두하는 삶을 산다면 분명 더 훌륭한 학자나 연구자가 될 가능성은 높아질 것이다. 나 역시 동료 연구원들이 나보다 더 좋은 연구자가 될 확률이 높다고 본다. 하지만 그들에게도 나와는 다른 또 다른 고충이 있다. 살다 보면 어떤 일이든 잘 될 때도 있고, 잘 안 풀릴 때도 있는데, 너무 단순한 자기 개념은 한 가지 역할에서 어려움을 겪을 때 부정적 감정을 분산시켜 줄 보완

기능이 부족하다. 그래서 린빌은 정서적 안정감을 위해서 자존감을 한 바구니에 다 담지 말라고 조언했다.

뒤늦게 대학원에 들어온 어리버리한 연구자이면서도 그 사실에 그다지 좌절하지 않을 수 있도록 나를 지켜주고 있었던 것은 엄마로서의 나, 아내로서의 나, 친구로서의 나, 삶에 최선을 다하려고 노력하는 한 인간으로서의 나다.

뭔가 이루어 내는 삶도 의미 있는 삶이지만 이도 저도 아닌 삶이라도 괜찮다. 하나의 역할에 몰두하는 것은 높은 성취를 이룰 수 있도록 해주지만, 크게 내세울 것 없는 삶이라도 나름 괜찮은 삶이다. 마흔은 그 또한 행복한 삶이 될 수 있다는 걸, 머리가 아닌 마음으로 받아들일 수 있는 나이가 아닐까?

살고,

사랑하고,

웃고,

배우라

“살고, 사랑하고, 웃고, 배우라.”

_엘리자베스 퀴블러 로스

스무 살 대학에 갓 입학하고 나서 다이어리 첫 장에 적었던 단 한 문장이 아직도 기억난다.

'행복해지자!'

학창 시절 지긋지긋한 야간 자율학습을 견디며 힘들게 들어간 대학에서도 나는 '행복하다!'라고 적지 못했다. 대학에 입학했을 때는 친구들에게 인기 많은, 요샛말로 '인싸'가 되고 싶었고, 모두가 알아주는 대기업에 입사하고 싶었고, 부자가 되고 싶었다. 친구를 사귀고 나서도, 대기업에 입사하고 나서도 인생의 모토는 한결같이 변하지 않았다. 행복해지자. 하지만 원하던 것들을 손에 쥔 순간들에도 나는 행복하다고 적지 못했다. 대신 이제 그다음을 향해 나아가자고 썼다.

서른 즈음에 결국 직장을 그만두었을 때 내 인생의 모토는 괴테가 남긴 "인생은 속도가 아니라 방향이다"라는 명언으로 바뀌었다. 스스로를 몰아쳐 왔던 그동안의 삶에서 행복해지지 못했으니, 방향을 바꾸면 행복해질 줄 알았다. 그래서 일을 내려놓고 짝을 만나 결혼하고 아이들을 키우면서, 인생에서 가장 소중한 경험들을 했다. 하지만 그래도 '행복하지'는 않았다.

내가 놓아버린 것들에 대한 아쉬움, 혼자 뒤처지는 듯한 두려움, 더 이상 앞으로 나아가지 못할 것 같은 불안으로 인해, 나는 사랑하는 두 아이들과 함께하면서도 행복하다고 적지 못했다. 그러던 중 둘째가 어린이집에 다니기 시작했을 때 즈음이다. 다시 사회생활을 시작해 보려고 준비하던 어느 날, 정신의학자이자 호스피스 운동의 선구자였던 엘리자베스 퀴블러 로스의 "살고(Live), 사랑하고(Love), 웃고(Laugh), 배우라(Learn)"는 문장을 만났다. 이 문장을 읽은 순간 나는 내 삶이 행복하지 않았던 이유, 잃어버린 퍼즐 조각, 행복의 열쇠를 찾았다고 생각했다. 나는 살고 사랑하고 있었지만, 내 삶에는 배움이 존재하지 않았다.

그래서 나는 회사에 입사지원서를 내는 대신 대학원에 입학원서를 냈다. 너무나 당연한 일이지만, '이제 살고 사랑하고 (종종 웃을 때도 있고) 배우고 있으니 나는 드디어 행복하게 되었다!'는 해피엔딩은 오지 않았다. 밤마다 벌겋게 충혈된 눈으로 새벽에 잠들고, 두 아이들을 학교에 보낸 뒤 내 수업에 들어가느라 아침마다 전쟁통이며, 일이 안 풀리면 가족들에게 짜증을 내면서도, 가족들과 안 좋은 일이 있으면 일이 손에 잡히지 않는다. 그리고 이 고생 끝에 박사학위를 마치고 나면 과연 제대로 된 일자리는 잡을 수 있을지 또다시 불안이 스멀스멀 올라온다.

이제 마흔을 시작하면서 그동안 행복해지기 위해 고군분투하던 스스로를 다독여 본다. 그토록 원했던 행복은 어쩌면 신기루 같은 것이었을지도 모른다고. 욕망, 불안과 마찬가지로 우리가 행복이라고 느끼는 것 역시 조상들의 생존과 번식에 도움이 되었기에 우리에게 존재하는 감정일 뿐이다. 욕망과 마찬가지로 행복 또한 우리 삶의 궁극적인 목표가 될 필요는 없다. 인류애를 실천하거나 인류 문명에 커다란 발자국을 남긴 위인들의 삶이 항상 행복하지는 않았겠지만, 그들은 삶은 충분히 가치 있고 고귀하지 않은가.

살기 위해 죽도록 고생할 때도 있고, 사랑하기 위해 마음이 찢어질 때도 있고, 웃기 위해 울어야 될 때도 있고, 배우기 위해 다른 무언가를 포기해야 할 때도 있다. 그때마다 우리는 행복하지 않을 것이다. 그래도 괜찮다. 행복은 삶의 목표가 될 수 없다는 걸 마흔에는 알게 되어 다행이다. 삶은 살고, 사랑하고, 웃고, 배우는 것으로 충분하다.

그 속에서 행복은 잠시 들려 안부 인사를 전하는 반가운 친구처럼 다녀갈지도 모른다. 반가운 친구가 찾아온다면 기쁘고 즐겁겠지만, 친구의 방문 전후로 집을 치우고 정리하는 일은 귀찮고 힘들 수도 있다. 심지어 집을 깨끗이 치워 놓아도 친구가 급한 사정이 생겨 오지 못할지도 모른다. 그래도 말끔히 청소를 마친 정돈된 집 그 자체로도 좋은 것처럼 우리의 삶도 충분히 좋은 삶이 될 수 있다.

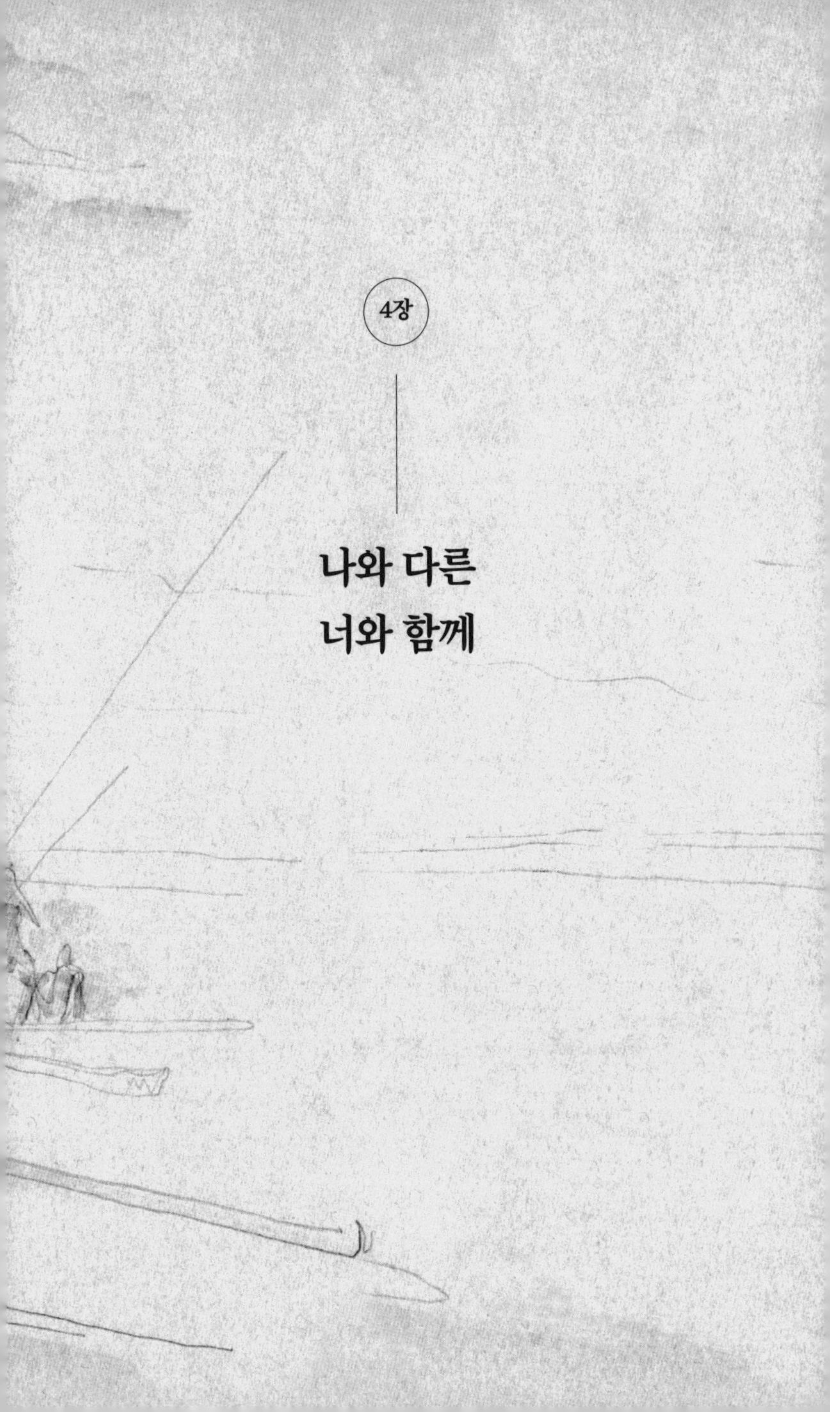

4장

나와 다른
너와 함께

결혼은 하셨나요?

“사람들은 어디서나

섹스와 친족에

집착과 같은 관심을 보인다.”

_에드먼드 리치

40대에 접어들면서 나이를 실감하게 되는 사건에는 여러 가지가 있을 수 있겠지만, 친구가 얼마 전에 겪었던 일은 모두의 공감을 사고도 남았다. 회사 업무 차 새로운 거래처 직원들과 함께 회식을 하게 되었을 때의 일이다. 앞으로 잘 지내보자며 분위기가 무르익어 가는데, 거래처 사람 중 하나가 뭔가 머뭇거리며 말을 하려다 말아서 무슨 일인가 했단다. 그런데 회식 자리가 끝나고 나오면서 함께 갔던 직장 동료가 전해주길, 친구가 자리를 비운 사이 그 거래처 사람이 "박 과장님 혹시 결혼하셨는지 안 하셨는지" 물어봤다는 거다. 예전에는 사람들이 결혼은 했는지, 남자친구는 있는지 하도 대놓고 물어 대서 무례하다는 생각이 들 정도였는데, 이젠 면전에서 결혼했는지 물어보면 결례인 나이가 된 모양이다. 친구는 '내가 나이를 많이 먹었구나' 하는 생각이 살면서 처음 들었다고 했다. 아니, 그런데 대체 결혼이 뭐길래 사람들은 처음 만난 사람을 붙잡고서라도 꼭 결혼 여부를 알아내야 속이 시원한 거냔 말이다!

세계 곳곳의 다양한 사회 집단의 문화를 연구했던 영국의 인류학자 에드먼드 리치는 어떤 문화에 속해있던지간에 사람들은 다른 사람의 짝과 친족 관계에 대해 지대한 관심을 보인다는 사실을 발견하고 이렇게 요약했다. "사람들은 어디서나 섹스와 친족에 집착과 같은 관심을 보인다."

지금까지 살아오면서 만났던 수많은 오지라퍼들을 떠올려 보면, 리치의 통찰력에 절로 고개가 끄덕여진다. 어린 시절에는 부모님이 누군지, 형제자매 관계는 어떻게 되는지, 성인이 되면 우선 결혼을 했는지 안 했는지, 안 했다면 언제 누구와 할 건지, 결혼한 뒤에는 아이는 언제 낳을 건지, 첫째를 낳으면 둘째는 언제 낳을 건지, 자식이 자라면 또 언제 누구와 결혼시킬 것인지. 이 끝나지 않는 무한 오지랖의 세계관의 핵심에는 섹스와 친족이 있다. 그리고 섹스와 친족은 서로 깊이 연관되어 있다.

나이 지긋한 아저씨 아주머니들의 고지식한 조언인지, 단순히 그저 꼰대 마인드인지는 모르겠지만, 아무튼 분명한 건 한국인들뿐만 아니라 전 세계 어디서나 사람들은 이런 것들을 궁금해한다는 것이다. 사실 나 역시 나와 비슷한 연배의 여성이나 남성을 사전 지식 없이 새로 만나게 되면, 결혼은 했는지 아이는 있는지 궁금하긴 하다. 차라리 아주 어리거나(결혼했거나 아이가 있을 확률이 낮다), 더 나이가 많으면(결혼했거나 아이가 있을 확률이 높다) 덜 궁금하다. 하지만 서른 후반에서 마흔 초반의 연령대는 거의 확률이 반반이다. 친한 친구들 중에도 절반은 싱글이고, 절반은 기혼이며, 절반은 아이가 없고, 절반은 아이가 있다(게다가 결혼 여부와 자녀 유무가 일치하는 것도 아니다).

예전에는 대부분의 인간 사회가 일련의 친족 규범을 바탕으로 세워지고 그 규범을 바탕으로 조직화되었다. 이러한 사회 규범들은 우리의 타고난 심리 기제에 기반해, 가까운 혈연과 호혜적 도움을 주고받을 상대를 찾고, 그들을 다르게 대우하는 데 영향을 미친다. 그 사람의 가족과 친족은 곧 그의 경제력, 정치력, 지위 그리고 모든 것을 의미했다.

그런 의미에서 근대 산업화의 특징 중 하나는 더 이상 가족과 친족 단위로 생산이나 정치가 이루어지지 않고, 독립적이며 전문화된 기관에 의해 수행된다는 것이다. 산업화된 자유민주주의 사회에서 더 이상 가족과 친족은 한 사람의 전부가 아니다. 가족과 친족을 통해 다른 사람의 사회적 지위를 위치 지으려는 시도는 무례하고 시대에 뒤떨어진 사고방식으로 치부된다. 그래서 이제 우리는 처음 만난 사람에게 어떤 집안 사람인지, 결혼은 했는지, 자식은 있는지 등등을 꼬치꼬치 캐물어서는 안 된다고 여긴다. 초면부터 이런 이야기를 꺼내는 사람은 예의가 없는 사람이다. 하지만 사실 우리도 마음속으로는 은근히 궁금하다.

정치와 경제가 가족과 친족 유대에서 떨어져 나가는 것이 근대성의 특징으로 여겨지긴 하지만, 인류학자들은 현대 사회에서도 가족과 친족은 사회를 조직하는 데 여전히 주요한 역할을 하고 있다고 이야기한다. 어쩌면 누군가는 당신의 사회 경제적 지위를 가늠하려고 당신의 가족 관계를 궁금해할지도 모른다. 하지만 그 이유뿐만은 아닐 것이다.

사람들은 누구나 가족과 친족의 사회적 관계에서 오는 정체성을 가지고 있고, 이는 마음의 가장 깊은 층위에 자리한다. 그리고 이 때문에 사람들은 다른 사람의 가족적 정체성에조차 깊은 공감을 느낄 수 있다. 만약 누군가 초면부터 매너 없이 가족 관계를 물어온다면, 어쩌면 그 사람은 나와 공감대를 형성하고 싶은 건지도 모른다.

아무튼 새로 입사한 신입 사원에게 매너 없이 대뜸 가족 관계를 묻는 부장님이나, 나와 비슷한 나이로 보이는 새로 만난 연구원이 미혼인지 기혼인지 궁금하지만 예의상 입을 꾹 다물고 있는 나나, 이 강박적인 섹스와 친족에 대한 관심은 우리에게 여전히 남아있는 듯하다.

우리가

사랑에 빠지는 이유

"사랑에는 세 가지 유형이 있는데,
각각은 서로 다른 신경화학물질과
연관되어 있다."

_헬렌 피셔

영국 드라마 〈닥터 포스터〉를 국내에서 리메이크한 〈부부의 세계〉가 한참 유행한 적이 있다. 당시 〈부부의 세계〉 프로그램 소개에는 이런 말이 적혀있었다.

"부부, 이토록 숭고한 인연이 '사랑'이라는 약한 고리로부터 기인한다는 것은 곱씹을수록 간담 서늘하다."

이런 불륜 스토리를 접할 때면, 신혼을 넘긴 부부나 오래된 연인들은 '혹시?' 하고 옆에 앉은 짝을 쏘아보기 마련이다. 비연애 중인 싱글들은 결혼이 더욱 멀게만 느껴질 테고. 우리는 분명 사랑했는데, 왜 이렇게 된 걸까? 사랑은 정말 약한 고리일까?

진화인류학자 헬렌 피셔는 사랑에 빠지는 데는 세 가지 핵심 심리 기제가 있으며, 세 가지 유형의 사랑이 각각 다른 신경화학물질과 연관되어 있다고 했다. 각각은 인간 특유의 짝짓기와 번식 과정에 대한 대응으로 진화한 것이다.

첫 번째 심리 기제는 정욕이다. 정욕은 성욕 또는 리비도라고도 불리는데 성적 만족에 대한 욕구를 특징으로 한다. 정욕은 한 명 이상의 파트너와 짝짓기를 개시하도록 진화한 것으로 추측된다. 정욕은 남성과 여성 모두에서 주로 테스토스테론 호르몬과 관련이 있다.

두 번째 심리 기제는 로맨틱한 사랑으로, 관계 초기의 강력하고 열정적인 끌림으로 나타난다. 열정적인 로맨스는 짝이 되기 위한 노력을 한 번에 한 명의 파트너에게 집중할 수 있도록(그래서 상대방에게 짝으로 선택받을 수 있게) 돕는다. 낭만적인 사랑은 천연 흥분제인 도파민과 노르에피네프린 및 세로토닌과 관련이 있다.

세 번째 심리 기제는 애착이다. 애착 감정은 주로 옥시토신과 바소프레신 호르몬에 의해 생성된다. 애착은 장기적인 결속을 맺은 파트너와의 깊은 유대감이라고 할 수 있는데, 인간이 한 쌍으로 짝 결속을 맺고 오랫동안 함께 아이들을 키우는 데 도움이 된다.

사랑은 이 세 가지 감정 중 하나에서 시작할 수 있다. 어떤 사람들은 섹스를 하다가 사랑에 빠진다. 어떤 사람은 먼저 로맨틱한 사랑에 빠진 다음 성욕을 느낀다. 그리고 또 누군가는 아주 깊은 유대감과 애착만으로도 충분히 사랑이라고 느낄 수 있다.

그리고 이 세 가지 감정의 심리 기제는 독립적으로 작동한다. 한 사람에게 세 가지 감정을 모두 느낄 수도 있고, 한 가지 이상의 감정을 연속적으로 느낄 수도 있다. 또는 각기 다른 사람에게 동시에 각각 다른 감정을 느낄 수도 있다.

드라마, 영화, 소설 할 것 없이 남녀 간 사랑을 소재로 할 때는 거의 항상 낭만적 사랑을 다룬다. 낭만적 사랑이 가장 강렬한 감정적 경험이기 때문이다. 더 본능적이고 강력할 것 같은 정욕보다도 우리의 몸과 마음에 더 강력한 영향을 미친다(물론 프로이트는 성욕이 가장 큰 추동력이라고 생각했지만).

낭만적인 사랑에 빠지면 상대방과 떨어져 있을 때는 보고 싶고, 헤어질 땐 아쉽고, 밤새도록 통화하면서도 끊임없이 할 말이 생각난다. 상대방을 생각하는 것만으로도 짜릿하고 설레지만, 상대방에게 거절당할지도 모른다는 생각이 떠오르면 갑자기 기분이 나락으로 곤두박질친다. 낭만적 사랑의 특징은 상대방에 대한 주의 집중이다. 신경 세포 하나하나까지 상대방을 향해 곤두서 있는 느낌. 이는 좋게 말하면 상대방에 대한 갈망이고 객관적으로 말하면 집착이다.

유통기한이 3년이라는 소문은 아마도 이러한 낭만적 사랑에 대한 이야기일 텐데, 일리가 있는 말이다. 이렇게 정신적으로 엄청난 긴장과 스트레스를 유발하는 상태가 그 이상으로 지속된다면 우리는 아마도 일상적인 업무에 집중하고, 아이를 키우고, 다른 사람들과의 관계를 유지하는 일상을 제대로 해내기 어려울 것이다.

하지만 깊은 유대감을 기반으로 하는 애착은 그렇지 않다. 애착 관계가 형성된 두 사람은 서로를 신뢰하고 배려하며 지지해 준다. 어떤 연구자들은 이를 동반자적 사랑이라고도 부르기도 한다. 애착 감정은 천천히 자라는 아이들을 키우기 위해 부부가 오랫동안 함께 협력할 수 있도록 도와준다. 이러한 사랑은 낭만적 사랑처럼 강렬한 감정은 아니지만 우리에게 평온하고 편안한 감정을 전달한다.

정욕, 로맨스, 애착이라는 세 가지 감정은 각각 다른 관계적 목적을 이루기 위해 진화한 감정이기에, 한 관계에서 세 가지 사랑의 감정이 동시에 나타나는 경우는 흔치 않다. 아니면 있다 해도 그 기간이 길지 않다. 부모님들이 정 때문에 산다고 하셨을 때 난 그렇게 살지 않을 거야 다짐했건만, 살아보니 애착 감정이라도 있으면 다행인 거였다.

그런데 로맨틱한 사랑을 포기하고 정 때문에 산다고 해서, 부부관계가 순탄히 흘러가지는 않는다. 앞서 언급했듯이 세 감정은 각각 독립적으로 작동하기 때문에 애착 관계를 형성했더라도 다른 사람에게 성욕이나 로맨틱한 감정을 가질 수 있기 때문이다. 〈부부의 세계〉의 등장인물 국민 밉상 이태오도 "사랑에 빠진 게 죄는 아니잖아", "미치겠는 건 두 사람을 동시에 사랑한다는 거야"라는 명대사를 남기지 않았던가.

그래서 연구자들은 부부나 커플이 장기간의 깊은 애착이나 낭만적인 사랑을 유지하기 위해서는 적극적으로 정기적인 섹스와 스킨십을 할 필요가 있다고 말한다. 흔히 섹스가 성욕에만 관계가 있는 것으로 오해되는 경우가 많은데,

사실 섹스는 옥시토신 수치를 끌어올려 깊은 유대감 형성을 촉진한다. 섹스 중에는 낭만적 사랑과 관련된 호르몬 중 하나인 엔도르핀 수치도 높아진다. 또 파트너와 함께 처음 가보는 여행지로 휴가를 가거나 새로운 취미 활동이나 운동을 같이 시작하는 것은 도파민 수치를 높여 로맨틱한 사랑을 끌어올리는 데 도움이 된다.

결국 가장 좋은 관계란 사랑의 삼위일체가 적당히 섞여서 한 사람을 향하는 것일 테다. 세 가지 사랑의 감정은 목적이 다르지만, 긴밀하게 연결되어 있다. 섹스하고 싶은 사람과 짝이 되고자 로맨틱한 열정적 사랑에 빠지고, 이렇게 짝을 맺은 사람에게 애착을 형성해 오랫동안 함께하는 것이 항상 가장 좋은 시나리오이기 때문이다.

이상형,

그대의 이름은

불가능

"남자는 단순하게
두 부류로 나눌 수 있다.
멋진 섹스와 오르가즘을
제공하는 부류와
안전과 평안, 양육을
책임지는 부류."

_루안 브리젠딘

영화 〈뷰티 인 더 글라스〉에서는 마음속의 이상형을 보여주는 안경이 나온다. 사람의 뇌파를 이용해서 이상형을 알아낼 수 있다는 설정이다. 이 타이밍에서 고백할 게 하나 있다. 사실 나에게는 특별한 재주가 하나 있는데, 누구든 어떤 이상형을 맘속에 품고 있는지 알아맞힐 수 있다. 당신의 이상형은 아마 힘들 땐 의지할 수 있고, 감정적으로 안정되어 있으며, 성숙하고 친절하며, 아이들에게 자상하면서도 현명하고, 신체적 그리고 사회적 능력이 뛰어나며, 목표와 비전을 가지고, 강력한 리더십과 카리스마를 지닌 남자일 것이다. 맞지 않는가?

그래, 맞다. 사실 이건 대부분 여자들의 이상형이다. 다양한 사회에서 여성들의 배우자 선택 기준을 연구한 진화심리학자들의 조사에 따르면, 많은 나라나 문화권에서 여성들의 이상형은 거의 비슷하다고 한다. 뭐 거창하게 뇌파를 이용해서 AI로 계산할 필요도 없다. 하지만 안타깝게도, 나는 운이 없는 것인지 지금껏 살면서 이런 남자는 한 번도 만나본 적이 없다. TV 드라마나 영화에서만 보인다. 아니, 사실 여성들이 좋아하는 로맨스 드라마 주인공 중에 위의 조건에 해당되지 않는 남자 주인공은 찾아보기 힘들다.

이건 거의 '초자극(또는 초정상자극)' 수준이다. 심리학에서 초자극이란 우리가 본래 가지고 있는 자극에 대한 선호를 인위적으로 극대화(또는 왜곡)한 자극을 말한다. 예를 들면 대개의 남성들은 허리가 가늘고 엉덩이가 허리에 비해 상대적으로 큰 여성에게 자극을 느끼는데, 대중매체에서는 이를 이용하여 극단적으로 허리가 가늘고 엉덩이가 큰 여성을 보여줌으로써 남성들의 주의를 끈다. 문제는 이러한 초자극에 자주 노출되면, 비정상적으로 왜곡된 초자극이 정상적으로 느껴지고, 정상적인 자극에는 자극을 안 받는다는 점이다. 드라마나 영화를 많이 시청할수록 현실에서 옆에 있는 파트너의 매력을 더 낮게 평가한다는 연구도 있을 정도다.

더 큰 문제는 이런 초자극들이 현실적으로 불가능하다는 것이다. 인간 여성은 가슴과 엉덩이에만 지방이 많고 허리에는 극단적으로 지방이 없는 상태가 불가능하다. 마찬가지로 인간 남성 역시 매우 자상하고 다정하면서도 카리스마적인 패기와 강력한 리더십을 가지기가 불가능하다. 캘리포니아 대학 신경정신과 의사이자 신경정신분석학자 루안 브리젠딘은 "남자는 단순하게 두 부류로 나눌 수 있다. 멋진 섹스와 오르가즘을 제공하는 부류와 안전과 평안, 양육을 책임지는 부류. 아주 오랫동안 여자들은 이 두 부류가 하나로 합쳐지길 갈망했지만, 슬프게도 과학은 이것이 소망에 불가하다는 것을 확인시켜 준다"고 과격한 주장을 한 바 있다.

너무 극단적인 말인 것 같기는 하지만, 이 조합이 쉽지 않은 것만은 사실이다. 우리의 소망과 관련된 특성들은 테스토스테론 수치와 관계가 있는 것으로 밝혀졌는데, 문제는 자상하고 양육적인 특징들은 테스토스테론 수치가 낮을수록 더 높게 나타나고, 뛰어난 신체 능력과 카리스마적인 특징은 테스토스테론 수치가 높은 것과 관계가 있다는 것이다. 한 사람이 동시에 테스토스테론 수치가 높고 낮을 수는 없지 않은가. 이는 거의 유니콘 수준이다. 심지어 젊어서 테스토스테론 수치가 너무 높으면 생애 후반기의 건강에 안 좋은 영향을 미치거나 수명이 짧다는 연구도 있다. 그리고 일부 연구는 테스토스테론 수치와 관련된 유전자까지 있다고 주장하니, 정말 이번 생에서 이 모든 조합을 갖춘 남자를 만날 기회는 없을 것 같다.

이런 논리로 보면, 결혼을 했던 안 했던 여성의 행복은 영향 받을 일이 없다. 우리의 이상형은 소개팅에도 나오지 않고, 집에 있지도 않을 테니 말이다. 그리고 아마 전 지구를 뒤져도 없을 듯하다. 이상형이라 생각하고 연애를 했다 하더라도, 낭만적 사랑의 콩깍지가 벗겨지면 옆에 있는 사람이 이상형이 아니라는 사실을 금세 깨닫는다. 연애 시절 좋아했던 상남자는 결혼 후 배려가 부족한 남편으로 바뀌고, 사회적 지위와 명예를 추구하는 야망가는 항상 집 밖으로 나도는 무심한 배우자가 된다. 반대로 연애할 때는 자상하고 세심한 성격에 끌렸는데, 결혼 후에 보니 사회생활 중에 일어나는 경쟁과 스트레스를 못 견뎌 걱정되게 만들기도 한다.

그러니 내가 한순간의 잘못된 판단으로 일을 그르친 것인지 자책하지 말자. 우리의 이상형은 원래 유니콘처럼 불가능한 존재다. 고대 그리스의 철학자 메네데모스가 말한 것처럼, 가장 큰 행복은 우리한테 없는 것을 원하지 않는 데 있다. 게다가 어쩌면 그 사람의 맘에 안 드는 모습이 내가 좋아하는 다른 모습과 연관되어 있을 수 있다. 여기까지 생각이 미치면 그동안 마음에 안 들던 옆지기의 단점이 조금은 다르게 보일지도 모르겠다.

비혼, 결혼, 이혼, 재혼,

그 사이 우리의 선택

"자아는 이미 만들어진 것이 아니라
선택을 통해 계속 만들어가는 것이다."

_존 듀이

어느 날 친구가 회사 경조사 게시판에 어떤 직원이 세 번째 결혼 소식을 올려서 화제가 됐다는 이야기를 전해주었다. 재혼이나 재재혼까지 경조사 게시판에 올려서 축의금을 받는 건 상도가 아니다, 아니다 그래도 결혼은 결혼인데 올리는 게 맞다 등등 한동안 회사에서 설왕설래가 있었다고. 그런데 옆에서 듣던 다른 친구가 한마디 한다.

"대단하다. 나는 지금껏 결혼하고 싶은 사람을 한 명도 못 찾았는데, 그 사람은 그래도 세 명이나 찾았네?"

친구는 답답한 듯 한숨을 쉬었지만 그녀만 그런 건 아닌 것 같다. 2020년 통계청 자료를 기준으로 대략 우리나라 40대 남성 네 명 중 한 명, 40대 여성 여덟 명 중 한 명은 미혼이다. 40대만 놓고 보면 남성의 미혼율이 거의 2배 정도 더 높다.

내 친구처럼 신중한 성격이라서 결혼할 만한 사람을 찾지 못하는 사람도, 살아보니 나와 맞지 않는 것 같아 이혼하려는 사람도, 이번엔 정말 틀림없다며 다시 결혼하는 사람도, 모두 나와 딱 맞는 그 누군가를 찾고자 한다는 점에서는 동일하다.

잦은 이혼과 재혼으로 약해진 부부 관계가 마치 산업 자본주의의 폐해인 듯 묘사되기도 하지만, 사실 전통 수렵 채집민들의 삶에서도 이혼과 재혼은 흔하다. 많은 수렵 채집 사회에서 여성이든 남성이든 3~4번 이상 새로운 짝과 결혼을 하곤 한다. 이혼은 더욱 쉽다. 예를 들어 부시맨으로도 알려져 있는 아프리카 !쿵 족은 이혼하고 싶은 쪽이 짐을 챙겨 나가면 그걸로 끝이다. 1만 년 전 농경과 정착 생활이 시작되기 이전까지, 결혼 관계는 중요하긴 했지만 종종 헤어졌고 다시 결혼했던 것이다.

결혼 규범은 사회와 함께 변해왔다. 초기 인류학자였던 모건은 다양한 인간 사회에 대한 비교 분석을 바탕으로, 사회의 생계 방식에 따라 기능적인 짝 결속 방식이 있고, 남녀 간 결혼 형태에 따라 가족 또는 친족 제도가 형성된다고 했다. 그리고 사회경제적 변화에 따라 결혼 규범과 가족 관계도 함께 변했다. 모건은 특히 부계를 정교하게 따지는 가부장적 가족 제도의 기원이 신석기 혁명 이후의 사유재산 형성과 관련이 있다는 점을 발견했다.

지금처럼 한 번의 결혼으로 남은 평생을 함께할 사람을 결정해야 하는 결혼 규범은 인류 역사상 비교적 새로운 것이다. 앞서 언급한 바와 같이 사랑과 같은 감정은 양성 간 짝 결속을 돕기도 하지만, 그 지속 기간이 평생을 보장한다고 할 수는 없다. 오히려 사회문화적 결혼 규범이 여러 가지 규칙, 관습, 믿음 등을 이용해 우리의 짝 결속 본능을 조절하고, 보강하고, 억제하여, 다소 엉성한 결속이 쉽게 풀리지 않도록 묶어놓는다고 봐야 한다.

이 반 강제적인 결혼 제도 덕분에 우리는 사랑의 콩깍지가 벗겨지고, 상대방이 꼴도 보기 싫을 때도 결혼 생활을 유지하고 있다. 한 사람과 평생 해로하게 된다면 누릴 수 있는 여러 가지 좋은 면도 있긴 하지만 이는 양날의 칼이다. 일단 결혼하고 나면, 우리에게는 더 이상 선택의 여지가 없다고 생각하기 쉽다. 이는 정서적 안정감을 주기도 하지만, 상대방이 내 곁에 머물도록 하기 위해 더 이상 노력하지 않아도 된다는 착각에 빠지게 만든다.

하지만 현실은 그렇지 않다. 특히 결혼 규범의 강제력이 점점 약해지는 현대 산업사회의 결혼 규범은 농경 사회보다 오히려 수렵 채집 사회와 더 비슷한 것 같기도 하다. 아무리 결혼 규범이 있다 해도 결혼했다고 선택이 끝나는 것은 아니다. 잊기 쉽지만 결혼 후에도 매일 매일 우리는 이 결혼을 유지하기로 선택하고 있는 것이다. 그건 상대방도 마찬가지이다. 미국의 철학자 존 듀이의 "자아는 이미 만들어진 것이 아니라 선택을 통해 계속 만들어가는 것이다"라는 말을 결혼 생활에도 똑같이 적용할 수 있을 것 같다. "결혼 생활은 이미 만들어진 것이 아니라 선택을 통해 계속 만들어가는 것이다."

남편도 나도, 이 순간 이 결혼을 유지하기로 선택하고

있는 존재다. 언제든 서로의 선택이 달라질 수 있다고 생각하면, 안정감의 무게에 잊혀져 버린 관계의 긴장감이 돌아오기 마련이다. 어쩌면 강력한 결혼 제도가, 아니 '결혼의 고정불변함'에 대한 우리의 맹신이 부부 관계에서 사랑을 빼앗아가 버린 걸지도 모른다. 그런 의미에서 1년에 하루쯤 결혼의 의미를 되새겨 보는 건 어떨까? 결혼기념일에 결혼 연장 계약서를 쓰면서 서로가 계속 이 결혼을 선택하고 있다는 것을 기념하는 것도 좋을 것이다.

여자와 남자는

다른가 아니면 같은가?

"여성과 남성 모두
상대방이 친절과 애정, 헌신을 보일 때
행복감이 증가한다."

_데이비드 버스

어느 날, 심리학 연구실에서 일하던 동료가 물었다.

"선생님은 어떻게 생각하세요? 남자랑 여자랑 똑같아요? 아니면 달라요?"

아, 무슨 일인지 감 잡았다. 심리학 연구 데이터를 분석하는 도중이었다. 남자 연구원이 여자와 남자의 차이가 거의 대부분 중요하게 나타난다는데 초점을 두고, "남자와 여자는 너무 다르다"라고 했는데, 같은 심리학 연구실에 있던 여성 연구원이 그 말을 듣고 화를 내면서 "여자나 남자나 똑같다"라고 하다가 언쟁까지 간 모양이다. 그래서 진화심리학 전공인 나한테까지 공이 넘어온 것이다.

한동안 진화심리학은 성선택 이론과 이에 따른 여성과 남성의 심리적 차이에 초점을 맞춘, 소위 '섹시한' 심리학으로 소문이 났었다. 특히 진화심리학자 데이비드 버스와 그의 동료들의 연구가 유명하다. 예를 들어 전 세계적으로 다양한 사회문화집단에서 공통적으로, 남성은 여성 파트너의 이상적인 나이로 여성의 가임력이 가장 강한 20대 초반을 선호하지만, 여성은 이성 파트너의 나이에 대한 선호가 남성처럼 일관적이지 않았다. 그리고 조사한 모든 문화권에서 파트너 또는 배우자 기준으로 남성이 여성보다 외모를 더 중요하게 생각하고, 여성은 남성보다 경제력을 더 중요하게 생각하는 경향을 보였다.

하지만 버스의 연구들이 '여성과 남성이 다르다'는 메시지만 보낸 것은 아니다. 그의 연구 내용을 보면, 대부분의 사회에서 남녀 모두 가장 중요한 배우자의 자질로 성격, 가치관, 태도 등을 꼽았으며, 외모나 경제력은 그다음이었다. 그리고 사실 진화심리학을 처음 주장한 존 투비와 레다 코스미데스의 초기 연구는 파트너 선택의 남녀 성차 연구가 아니라 남성이든 여성이든 인류 보편적으로 가지고 있는 '사기꾼 탐지 모듈'에 대한 연구였다.

아무튼 그래서 여자와 남자는 같은가 아니면 다른가? 답은 누구와 비교하는지에 따라 다르다. 우리와 유전적으로 약 99% 일치하는 진화적 사촌 관계인 침팬지와 비교한다면 남녀의 차이는 신체적으로나 심리적으로나 무의미한 듯이 보인다. 하지만 남성 평균값과 여성 평균값을 비교한다면 신체적, 심리적으로 주요한 차이가 종종 있다. 하지만 이도 어디까지나 정도의 차이다. 예를 들어 여성과 남성 모두 이성의 외모를 중요한 배우자 선정 기준으로 여긴다. 다만 중요하게 생각하는 정도가 다를 뿐이다. 다시 말해 여성도 남성의 외모를 중요하게 생각하지만, 남성이 여성의 외모를 중요하게 생각하는 정도가 더 높다는 이야기다. 이성의 경제력이나 나이에 대한 중시도 마찬가지다.

여성과 남성의 심리적인 차이는 정확히 말하기 어렵지

만, 신체적인 차이는 정확하게 알려져 있다. 같은 종 간에 남녀 또는 암수의 형태 차이를 성적이형성이라고 하는데, 성적이형성이 큰 종일수록 암수 간 짝 결속이 약하고, 성적이형성이 작은 종일수록 짝 결속이 강하며 일부일처제 형태의 번식 전략을 갖는 경향이 있다. 수치로 표현하면 성적이형성이 1에 가까울수록 성적이형성이 작고, 1에서 멀어질수록 성적이형성이 크다. 인간 여성과 남성의 신체적인 성적이형성은 약 1.15 정도다. 이는 대형 유인원 중 일부다처 생활을 하는 고릴라나 다부다처 생활을 하는 침팬지보다 성적이형성이 작은 편이고, 유인원 중에서 유일하게 일부일처제 생활을 하는 긴팔원숭이보다는 큰 편이다.

성적이형성이 큰 고릴라나 침팬지의 경우, 수컷은 암컷과 교미할 때 이외에는 특별히 함께 협력하지 않는다. 수컷은 수컷 간 경쟁을 통해 교배 투자에 전념하고, 암컷은 양육 투자에 전념한다. 반면 일부일처 관계로 짝 결속을 맺는 긴팔원숭이의 경우, 수컷과 암컷의 크기가 거의 비슷하다. 인간의 경우 초기 인류에서 현생인류로 이르는 기간 동안 점차 성적이형성이 작아지는 방향으로 진화했다. 오스트랄로피테쿠스는 고릴라와 침팬지의 중간 정도의 성적이형성을 보이지만, 호모 사피엔스는 침팬지(다부다처)와 긴팔원숭이(일부일처)의 중간 정도의 성적이형성을 보인다. 인류의 진화 과정에서 짝 결속을 맺는 것이 유리했던 것이 분명하다.

거의 모든 인간 사회에서 남성과 여성의 짝 결속 규범이 존재한다. 횡문화적으로 나타나는 결혼 규범은 원론적으로 배타적 성관계를 함축한다. 이를 통해 남성은 혼인 관계에서 태어난 아이에 대한 부성 확실성을 확보하고, 여성은 남성의 양육 투자를 확보한다. 반면 고릴라, 침팬지, 오랑우탄 등의 대형 유인원은 수컷이 거의 새끼의 양육을 돕지 않는다. 호모 사피엔스의 진화사에서 장기적 짝 결속과 이에 따른 양육 협력이 중요해지면서, 여성과 남성의 성적 이형성은 점점 더 줄어들었을 것이다. 그리고 아마도 양성 간 심리적 차이도 비슷하게 줄어들었을 것으로 추측된다.

아무튼 지금 현재로서는 호모 사피엔스의 성적이형성은 점점 줄어들었고 공통점이 더 많긴 하지만, 다른 점도 일부 남아있는 것 같다는 답변이 최선인 듯하다. 그런데 사실 내가 더 관심을 갖고 있는 질문은 '우리가 서로 다른가?'란 질문이 아니라, '왜 우리는 서로 다르다는 이야기에 주의를 기울이는가?'이다. 사실 수많은 진화심리학 연구들을 살펴보면, 남녀 성차를 다룬 연구들보다 인류 보편으로 나타나는 심리 기제를 다룬 연구 주제들이 더 많은데, 유독 성차에 대한 연구들이 가장 알려져 있다는 사실만 봐도 그렇다.

우리가 서로 다르다는 것은 무엇을 의미하는가? '다르다'가 '틀리다'가 아니라는 건 초등학생도 아는 이야기다. 하지만 그걸로 충분할까? 사실 여성이든 남성이든 내집단 편애와 외집단 차별 심리가 존재한다. 그리고 사람들은 좋아하는 화가가 같거나 다르다는 아주 사소한 단서만으로도 '우리'와 '그들'로 나누고 차별하기도 한다. 하지만 나와 네가 다르다는 것, 여성과 남성이 다르다는 것, 우리와 그들이 다르다는 것보다 더 중요한 건, 우리는 모두 호모 사피엔스라는 같은 종으로서 같은 본질을 함께 갖고 있다는 것이다. 다만 이 본질은 고정적인 형태가 아니라 사회·문화·생태·환경 맥락에 따라 가변적으로 발현된다. 여성의 외모를 더 중시하는 남성이나, 남성의 경제력을 더 중시하는 여성이나 생물학적 적합도를 최대화하기 위한 메커니즘이라는 측면에서는 동일하다. 같은 본질을 지닌 호모 사피엔스라는 점에서 여성과 남성의 차이는 부수적인 차이일 뿐이다. 여자와 남자, 한국인과 일본인, 동양인과 서양인 종특 같은 건 없다. 호모 사피엔스 종특이 있을 뿐이다.

5장

새로운,
하지만
오래된 가족

킨첸스키마와

돌봄 욕구에 대하여

“돌봄 행동은

단순하지만 영웅적이다.”

_에드워드 앨버트

2020년 우리나라의 합계출산율은 0.8명으로 역대 최저치를 기록하며 전 세계에서 가장 출산율이 낮은 나라가 되었다. 주변에서는 점점 아이들이 줄어들고 있는데, 역설적이게도 TV 방송이나 SNS에서는 어린아이들이 나오는 콘텐츠가 점점 늘고 있다. 물론 어린이들을 위한 프로그램은 아니고 귀여운 아이들을 보고 싶은 어른들을 위한 프로그램이다.

언제부턴가 결혼한 연예인들도 하나둘 아이를 데리고 예능 방송 프로그램에 나오기 시작했다. 남녀노소 할 것 없이 누구누구네 누가 그렇게 밥을 잘 먹는다, 많이 컸다, 똘똘하다며 열성 팬들이 많다. TV 프로그램뿐만 아니라 귀여운 어린아이들이 나오는 SNS에는 랜선 이모뿐만 아니라 랜선 삼촌들의 댓글로 문전성시다. SNS 달인인 지인의 말로는 조회수를 올리는 데는 귀여운 아기, 강아지, 고양이 사진이나 동영상이 최고의 아이템이라고 한다.

한 설문조사에서는 우리나라 미혼 여성 중 절반 이상이 자녀가 있어도 그만 없어도 그만이라고 응답했다는데, 남의 집 아이는 왜 이렇게 귀여운 걸까? 동물행동학자 콘라드 로렌츠는 우리가 어린아이들을 사랑스럽다고 느끼도록 만드는 일련의 특징들을 '킨첸스키마(kindchenschema, 유아적 특징)'라고 이름 붙였다. 킨첸스키마에는 몸에 비해 상대적으로 큰 머리, 비율적으로 크고 아래쪽에 있는 눈, 포동포동한 뺨 등을 들 수 있다. 자기 자식이 있든 없든, 여성이든 남성이든, 우리 뇌 속의 특정 신경세포는 무의식적으로 이러한 어린아이의 특징들에 반응한다. 또 이러한 반응은 자기 자식뿐만이 아니라 아무런 혈연관계가 없는 낯선 어린아이, 심지어 종을 뛰어넘어 강아지나 고양이를 볼 때도 나타날 수 있다. 생각해 보면 강아지나 고양이의 얼굴 비율은 정확히 로렌츠가 지적한 킨첸스키마적 특징을 나타낸다.

옥스퍼드 대학에서 진행된 신경생리학 실험에서 열두 명의 성인들에게 낯선 어린아이의 사진의 보여주었더니, 모든 참여자의 뇌 스캔 영상에서 약 0.1초 만에 즐거운 경험을 학습하고 기억하는 뇌의 부위에서 특정한 신경 신호가 나타났다고 한다. 사람마다 편차는 있지만 이는 거의 무의식적이고 즉각적인 반응이다. 반면 참여자들이 낯선 성인의 사진을 볼 때에는 이러한 반응이 나타나지 않았다. 참여자들 중 세 명은 자식이 있었고, 아홉 명은 아이가 없었다. 하지만 킨첸스키마에 대한 반응은 모든 참여자들에게서 발견되었다.

사실 남의 집 아기를 귀여워하며 한 번 안아보고 싶어 하는 건 인간뿐만 아니라 많은 영장류 암컷들이 공통적으로 보이는 특징이다. 그리고 원숭이들의 '아기 만지기 가격

(?)'에 대한 연구는 아이들이 사라져 가고 있는 지금, 왜 이렇게 아기 관련 콘텐츠의 인기가 치솟는지 이해하는 데 도움이 된다.

무리 생활을 하는 대부분의 암컷 영장류는 자기 새끼가 아니더라도 집단에서 새로 태어난 아기 원숭이에게 지대한 관심을 보인다. 특히 아직 육아 경험이 없는 어린 암컷이나 출산 경험이 있더라도 자식이 독립하고 난 암컷들이 더욱 열성적이다. 그냥 관심을 보이는 정도가 아니라 엄마 원숭이에게 제발 한 번 만져보게 해달라고, 가능하면 한 번만 안아보자고 끈질기게 졸라댄다. 심지어 일부 원숭이들은 아기 원숭이를 만지기 위한 '가격'을 지불하는데, 바로 어미 원숭이에게 영장류 최고의 서비스인 '털 고르기'를 해주는 것이다. 보통 원숭이들 사이에서 털 고르기 서비스는 상호 호혜적으로 주거니 받거니 하면서 제공되는데, 새끼가 있는 암컷에게는 예외다. 엄마 원숭이에게 열심히 털 고르기를 해주면 아기 원숭이를 잠깐 만져볼 수 있다. 영장류학자들의 연구에 따르면 이 아기 원숭이 만지기 '가격'은 새끼가 더 어릴수록, 당시에 그 집단에 다른 아기 원숭이가 적을수록 더 비싸진다. 즉 더 오랫동안 엄마 원숭이에게 털 고르기를 해줘야 아기 원숭이를 만져볼 수 있다.

자기 자식도 아닌 아기 원숭이에게 매우 큰 관심을 보

이며 가까이 다가가는 행동은 자신의 번식 성공과는 아무런 관련이 없는 행동 같지만, 사실 이는 첫 출산 전에 양육 기술을 습득하기 위한 적응적 행동이다. 남의 집 자식으로 육아를 익힌 덕분에 번식 경험이 없는 암컷도 첫 출산을 할 때쯤에는 육아에 자신이 생긴다. 그리고 이러한 행동의 이면에는 어린 유아와의 상호작용이 즐거운 것으로 여겨지도록 하는 심리적 메커니즘이 존재한다.

그런데 더욱 흥미로운 것은 랜선 삼촌들의 반응이다. 앞서 언급했듯이 여성들이 어린아이에게 반응하는 것은 영장류 보편적인 현상이다. 하지만 인간 남성처럼 수컷이 친자식뿐만 아니라 비혈연 관계의 어린 유아에게 반응하는 종은 영장류뿐만 아니라 포유류 전체를 통틀어서도 매우 드물다. 대부분의 영장류에서 수컷은 번식 연령 전이든 후든 거의 아기 원숭이에게 관심이 없다. 자기 자식이 아닌 경우에는 괴롭히거나 죽이지만 않으면 다행이다. 수컷이 암컷만큼, 어쩌면 암컷보다 더 아기 원숭이에게 관심을 보이는 영장류 종은 극히 드문데, 이런 경우 대개 수컷이 새끼의 육아를 떠맡는 종이다.

반면 많은 연구들에서, 인간 남성이 여성만큼은 아니더라도 분명 아기들에게 특별한 반응을 보인다는 점을 밝혀냈다. 이에 대해서 학자들은 인간이 아이의 어머니와 아버지, 그리고 다양한 가족과 친족 구성원들 간의 협동 육아를 통해 번성하게 된 종이기 때문이라고 추측한다. 그래서 여성과 남성 모두에게 어린아이에 대한 반응과 돌봄 욕구가 있고, 어느 정도 나이가 들고 나면 돌봄 받고 싶은 욕구보다 돌보고 싶은 욕구가 더 강력하다는 것이다.

많은 사회 문화권에서 가족의 형태는 다양하게 나타나지만 어디에서나 공통적인 가족의 특징은 가족 구성원들이 어린아이들의 양육을 위해 함께 협력하는 집단이라는 점이다. 가족의 기원은 돌봄에 있다. 그리고 처음 보는 어린아이에게도 귀여움을 느끼는 것처럼, 협동 양육과 돌봄을 위해 진화한 여러 가지 심리적 기제는 가족이나 혈연관계를 넘어서도 작동할 수 있다. 강아지나 고양이 같은 반려동물에게 느끼는 감정처럼 심지어 종을 뛰어넘기도 한다. 에드워드 앨버트의 말처럼, 돌봄 행동은 단순하지만 영웅적이다.

이러한 강력한 돌봄 욕구가 있었기에 우리는 친자식뿐만 아니라 집단의 다른 아이들도 귀여워한다. 새끼 늑대를 돌봐 최초의 개로 진화시킬 수 있었으며, 작은 씨앗을 보살펴 곡식을 키워낼 수 있었다. 그리고 그 뒤의 이야기는 역사가 되었다.

빈틈 있는

엄마 되기

“최선의 양육법은 적당히 좋은 어머니가 되는 것이다.”

_도널드 위니콧

둘째가 어린이집을 졸업할 무렵, 어린이집 엄마들과 함께 공유하는 단톡방에 초등학교 입학 준비 정보들이 하나둘씩 올라왔다. 한글은 어디까지 떼고 가야 하는지, 영어 학원은 언제쯤 보내는 게 좋은지 여러 가지 이야기에 마음이 조급해지고 있던 순간, 한 엄마가 '학교생활 적응을 위한 생활 속 습관 체크리스트'를 공유해 주었다. 초등학교에 적응하기 위해 아이가 해야 할 일은 다음과 같단다.

학교생활 적응을 위한 생활 속 습관 체크리스트

1. 외출에서 돌아오자마자 손을 씻는가?
2. 식사 후 양치하는 것이 자연스러운 일과인가?
3. 책을 읽고 난 뒤 책꽂이에 바로 꽂아놓는가?
4. 식사를 한 뒤, 자신의 그릇을 정리하는가?
5. 방에서 만들기 놀이를 했을 때 쓰레기들을 쓰레기통에 넣어서 정리하는가?
6. 자신이 가지고 놀았던 장난감을 스스로 정리하는 편인가?
7. 일정한 시간에 일어나고 일정한 시간에 잠자리에 드는가?
8. 어른을 만나면 인사를 하는 습관이 있는가?
9. "고맙습니다", "미안합니다" 등 상황에 맞는 인사를 습관적으로 하는가?
10. 자신이 한 약속을 잘 지키는가?

11. 위험한 상황이 무엇인지 알고 조심하려고 하는가?

리스트를 본 엄마들은 이구동성 난리가 났다. 우리 애는 여기에 나온 거 거의 다 못 지킨다, 정리정돈 교육을 너무 안 시켰나 보다, 학교 가서 적응할 수 있을지 걱정된다 등등 너나 할 것 없이 아이의 생활습관 교육을 제대로 못 시킨 데 대한 자아 성찰과 성토의 시간이 되어버렸다.

그런데 사실 가슴에 손을 얹고 생각해 보면 나 스스로도 저 체크리스트에서 못 지키는 게 더 많았다. 양심에 찔려 사실 아이는커녕 나도 저거 거의 못 지킨다고 슬며시 고백하자, 이를 본 다른 엄마들의 커밍아웃이 이어졌다. 다들 마찬가지였다. 오히려 체크해 보니 나보다 아이가 더 잘 지키고 있는 것 같다는 엄마도 있었다.

그렇다. 체크리스트를 다 못 지켰어도 다들 이렇게 잘 자라서 제 앞가림 하는 성인이 된 것이다! 다 못 지켜도 괜찮고, 저 중에 몇 개 정도만 지키고 살아도 사는 데 큰 문제 없다. 그럼에도 요즘 육아서에 나오는 학교 공부 잘하는 아이의 ○○가지 습관, 자존감 높은 아이로 키우는 ○○가지 방법 같은 체크리스트를 보면, 아이를 완벽한 인간으로 만들기 위한 체크리스트 같다.

완벽한 인간은 없다. 그러니 아이에게 완벽한 아이가

되도록 요구해서는 안 될 일이다. 마찬가지로 엄마에게도 완벽한 엄마가 되어야 한다고 하지 않았으면 좋겠다. 완벽한 엄마 역할에 집착하다 보면 결국 그 결과물인 아이에게도 완벽을 기대하게 된다. 하지만 엄마도 아이도 실수투성이 결점투성이인 한 인간일 뿐이다.

영국의 소아과 의사이자 정신분석학자 도널드 위니캇은 좋은 엄마가 되려면 완벽해야 한다는 강박에서 벗어날 수 있도록 '적당히 좋은 어머니'라는 개념을 제안했다. 위니캇은 아이에게 적당한 좌절을 경험하게 하는 보통의 어머니가 되는 것이 최선의 양육이라고 했다. 아이도 언젠가는 부모로부터 정서적으로 독립하고 스스로의 삶을 살아야 하기 때문이다. 오히려 모든 것을 다 해주는 완벽한 엄마보다는 빈틈이 있는 엄마를 통해 비로소 아이는 성장할 수 있다. 물론 육아 방식에 문제가 있는 극단적인 케이스도 분명 있겠지만, 스스로 내가 좋은 엄마인지 고민하는 보통의 엄마라면 이미 충분히 좋은 엄마일 것이다.

그런 면에서 엄마가 되고 나서야 엄마가 이해되는 지점들이 있다. 내가 그동안 엄마에게 느꼈던 서운한 감정이나 불만은 엄마가 성인군자 혹은 완벽한 인간이길 바라는 응석 같은 마음이 아니었을까? 아이를 키우다 보니, 그런 높은 기준에 맞출 수 있는 인간은 없다는 사실을, 엄마는 이미 충분히 좋은 엄마였다는 걸 깨닫는다. 보통의 한 인간으로서 날 키우기 위해 고군분투했을, 사랑하고 미워하고 행복하고 좌절했을 엄마가 떠오른다. 그리고 나도 충분히 좋은 엄마라고 스스로 다독인다.

혹시 내가 좋은 엄마인지 걱정하고 고민하고 있는 엄마들이라면 너무 조바심내지 않았으면 좋겠다. 완벽한 인간, 완벽한 아이, 완벽한 엄마는 없다.

절대적이고
무조건적인 모성애는
진화하지 않았다

"양가성을 받아들이는 능력,
그것이 바로 모성애가 아닐까."

_제인 라자르

나는 아이들한테 전래 동화를 그다지 권하지 않는다. 《선녀와 나무꾼》 같이 성인지 감수성이 최악인 스토리도 있고, 아버지 눈 뜨게 하겠다고 자살하는 심청이나, 계모가 수양딸들을 살해한 《장화 홍련》이나, 아무튼 요즘 관점에서 잔혹 동화가 아닌 걸 찾기가 어렵다. 그런데 어쩌다 《반쪽이》라는 전래 동화책을 선물로 받게 되어 읽어준 적이 있다. 아이 없는 노부부가 하늘에 빌고 빌어 세쌍둥이를 낳았는데 그중에 한 명이 눈도 하나, 귀도 하나, 팔 다리도 하나씩 밖에 없는 반쪽이로 태어났다. 요즘 말로는 고도의 기형이 있는 장애아다. 그런 반쪽이가 부모의 차별과 형들의 괴롭힘에도 결국 양반집 딸과 결혼하는 이야기다.

그런데 듣고 있던 아이가 너무 이상하단다. "왜? 뭐가 이상한데?" 하고 물었더니, 아니 어떻게 엄마 아빠가 반쪽이를 그렇게 차별할 수가 있냐는 거다. 반쪽이 부모는 형들이 아무리 반쪽이를 괴롭혀도 전혀 도와주지도 않고 방임한다. 그러게… 부모가 어떻게 그럴 수 있을까…. 아니, 사실은 부모가 그럴 수 있다는 걸 아이에게 어떻게 설명해 주어야 할까.

인류학자 세라 블래퍼 허디는 자신의 저서 《어머니의 탄생(Mother Nature)》에서, 현존 수렵 채집 사회에 대한 민족지들을 검토한 뒤 인간 어머니의 헌신이 매우 가변적이고 조건부적이라고 전했다. 수렵 채집 사회에서는 생모에 의한 영아 유기가 신생아 열 명 중 한 명꼴로 발생한다. 정착생활을 하며 족벌주의에 따라 남아를 선호하는 원시 농경사회에서 영아 유기율은 더 높다. 허디는 어머니의 다양한 반응, 그중에서도 특히 그전까지는 자연스러운 반응이 아니라 병리적인 반응으로 여겨졌던, 방임, 영아 유기, 영아 살해조차 어떤 상황에서는 드물지 않게 나타날 수 있는 반응이라고 말한다.

다른 동물들에게서도 어미가 새끼에게 보이는 애착은 그렇게 무조건적이지 않다. 사람이든 동물이든 많은 경우 어미가 처한 사회생태적 상황에 따라 모성 반응이 유연하게 조정된다. 암사자는 새끼들의 저녁식사를 위해 목숨 걸고 사냥에 나서지만, 만약 갓 태어난 새끼들이 튼튼하지 않다고 느끼면 양수에 쌓인 한 배 새끼들을 몽땅 다 버리고 떠나기도 한다. 가족 집단의 도움을 받아 새끼를 키우는 타마린 원숭이 어미는 육아를 도와줄 가족들이 주변에 없는 경우 어미에게 들러붙는 막 낳은 새끼를 나무 위에서 떨어뜨린다. 개체가 처한 생태적 그리고 사회적 상황에 따라 가변적이고 유연하게 반응하는 그 자체가, 적응적으로 진화한 특징인 것이다.

모든 어머니가 모든 아이에게 무조건적인 사랑과 헌신

을 쏟는 모성애라는 관념은 인류 역사에서 매우 최근에 등장한 이념이다. 그럼에도 불구하고 우리 사회는 모든 여성이 어머니가 되기만 하면 아기에게 절대적이고 무조건적인 모성애를 발휘할 것이라고 생각하거나 그래야 한다고 강요한다. 심지어 행복한 마음가짐으로 항상 사랑 가득한 어머니 노릇을 하는 것이 당연하다고 생각한다.

이런 사회적 분위기는 확대 가족 공동체가 함께 돌봄을 공유하던 예전과 달리 혼자 육아를 떠맡게 되어 힘들어하는 어머니들을 더욱 혼란스럽게 할 뿐이다. 어머니가 언제나 무조건 기쁜 마음으로 육아를 해야 한다고 생각하는 사람한테는 일주일간 갓난아기를 하루 종일 혼자서 돌보도록 하고 싶다. 아마 다시는 그런 소리를 하지 않을 것이다.

물론 일상적인 육아 노동과는 별개로, 잠시 숨 돌리고 어느새 아이가 훌쩍 성장한 느낌을 받을 때, 내가 이 작고 연약한 생명을 지키고 키워내고 있다는 자긍심이 들 때, 아이로부터 절대적인 신뢰와 사랑을 받을 때, 밖에서는 한낮 먼지 같은 존재인 나지만 아이에게는 내가 세상의 전부라는 걸 느낄 때, 전에 경험해 보지 못한 새로운 차원의 기쁨을 알게 된다. 하지만 대부분의 하루하루는 힘들고 재미없는 육아 노동에 지쳐 잠드는 일상이다.

엄마가 된다고 해서 항상 기쁨으로 충만한 것도 아니

다. 어떤 날은 아이가 너무나 사랑스러워 천사처럼 보이기도 하지만, 또 다른 날들은 귀찮고 성가시고 화가 난다. 어머니로서 겪는 이 모든 감정은 자연스럽고 당연한 감정이다. 그래서 작가 제인 라자르는 자신의 〈나쁜 엄마 모임〉이라는 에세이에서 이런 말을 남겼다. "양가성을 받아들이는 능력, 그것이 바로 모성애가 아닐까."

언젠가부터 우리 사회에서 사랑과 친절과 봉사의 마음으로 아이를 대하지 않는 어머니는 나쁜 엄마처럼 여겨진다. 어머니 역할을 좋아하지 않거나 행복하지 않은 어머니도 마찬가지다. 하지만 육아를 좋아하지 않더라도, 엄마라는 사실로 인해 항상 기쁨으로 충만하지 않더라도, 아이를 따뜻한 사랑으로만 대하지 못하더라도 괜찮다. 이 작고 연약하고 의존적인 존재들을 책임지고 먹이고, 재우고, 가르쳐 키워내는 것만으로도 어머니로서의 의무를 다했다는 자긍심을 가질 필요가 있다.

가족이라서 당연한 갈등

"사람들은 어떻게 하는 것이
자신에게 가장 좋을지를
생각하기 마련이며,
그것은 아이에게 가장 좋은 것과
충돌할 수도 있다."

_로버트 트리버스

영국의 유전학자이자 진화생물학자인 존 버든 샌더슨 홀데인은 "강물에 빠진 형제 두 명을 구하기 위해서는 기꺼이 물속으로 뛰어들 수 있고, 사촌이 빠졌다면 여덟 명 정도는 빠졌어야 뛰어들 것이다"라는 말로 혈연선택이론을 깔끔하게 정리한 바 있다. 진화생물학자 해밀턴이 발견해서 '해밀턴의 법칙'이라고도 알려져 있는 혈연선택이론은, 한마디로 '생물의 진화에서 어떤 생리적 또는 행동적 특질이 자연선택 되는 데에는 개체가 스스로 남긴 자손의 수뿐만 아니라 유전자를 공유하는 혈연들의 번식 성공도 영향을 미친다'는 내용이다.

혈연선택이론은 특히 동물들의 이타적인 행동을 잘 설명해 준다. 이 이론에 따르면, 유전적 연관도가 높은 개체들 사이에서는 이타적 행동이 서로 공유하고 있는 유전자에게 이득이 된다. 예를 들어 여왕개미가 낳은 동생을 지극정성으로 먹이고 보살피는 일개미 언니들은 벌목 곤충들의 특수한 생식세포 구조(수컷의 생식세포는 반수체이고 암컷의 생식세포는 이배체이다)로 인한 것이다. 다시 말해 일개미 스스로 낳은 자식보다 여왕개미가 낳은 동생과 유전적 연관도가 더 높다는 것인데, 그러다 보니 스스로 번식하지 않고 여왕개미가 더 많은 동생을 낳을 수 있도록 돕는 것이 유전적으로 더 이득이 된다.

아니 그런데, 홀데인은 강물에 빠진 두 명의 형제를 구하기 위해서 목숨도 걸겠다고 했는데, 우리 집 두 자매는 왜 이러는 걸까? 왜 식사 시간마다 기분 좋게 준비한 디저트는 항상 고성과 곡성이 난무하는 끔찍한 전쟁으로 끝나는 걸까?

"다해가 더 많아!"

"언니가 더 많아!"

"똑같다고!!!"

영원히 반복될 것 같은 이 레퍼토리….

남편은 아이들 사이에서 중재하는 나를 보고 '미세스 솔로몬'이라는 경외감을 담은 별명을 지어주었지만, 이 무한 반복되는 디저트 전쟁 앞에서는 나도 어쩔 방도가 없다. 내가 보기에는 분명 한 치의 오차 없이 똑같아 보인다. 하지만 아이들 눈에는 분명 자기 몫이 작아 보이기에 결사항전을 마다하지 않는다. 도대체 왜 이러는 걸까? '싸우지 않는 형제자매' 같은 육아서 조언을 따르고, '우리 아이가 달라졌어요' 같은 방송에 나오는 전문가들에게 상담을 받으면 이 전쟁을 끝낼 수 있을까?

해밀턴의 혈연선택이론이 이 영원한 전쟁을 해결해 주지는 못하지만, 이해는 할 수 있도록 도와준다. 답은 디테일… 아니, 숫자에 있다. 앞서 두 명의 형제를 구하기 위해 물속에 뛰어든 홀데인도 한 명의 형제가 물에 빠졌다면 목숨을 걸지 않겠다고 했을 것이다.

유전적으로 엄마(또는 아빠)와 자식은 유전자 1/2을 공유한다. 엄마 입장에서 자식은 앞으로 자신을 대신해 미래 세대로 유전자를 전달할 존재이기에 자식에게 자원을 투자하여 성인으로 키워내고자 한다. 형제자매 간에도 서로 유전자를 절반씩은 공유하기에 어느 정도 유전적 이해관계가 일치한다. 그렇다고 부모자식 사이나 형제자매 사이가 이타적이고 협력적이기만 한 관계라는 말은 아니다.

아무리 유전자를 공유한다고 해도, 나는 나와 유전자를 100% 공유하지만 가장 가까운 혈연인 부모자식 간이나 형제자매 사이에서도 50%의 유전자만을 공유할 뿐이다. 최대한 단순화해서 예를 들면, 엄마가 빵을 3개 가지고 있을 때, 두 자식에게 각각 1개 반씩 나누어 주는 것이 부모 입장에서 가장 유전적으로 이득이 되지만(두 명의 자식은 동일하게 엄마의 유전자를 50%씩 가지고 있으므로), 맏이의 입장에서는 엄마가 자신에게 2개를 주고, 동생에게 1개를 주는 것이 가장 만족스럽다(동생은 맏이의 유전자 중 50%만을 공유하므로). 이는 동생도 마찬가지로 엄마가 자신에게 2개, 맏이에게 1개를 주기 바란다.

물론 어디까지나 이론상 그렇다는 이야기지, 우리가

의식적으로 이렇게 계산하고 행동한다는 뜻은 아니다. 피를 나눈 혈연 간에도 얼마든지 갈등이 존재할 수 있다는 이론적 증명일 뿐이다. 아무튼 엄마, 첫째, 둘째, 이 세 사람 사이의 자원 분배에는 언제나 긴장이 있을 수밖에 없고, 내가 아무리 케이크를 똑같이 나누더라도 아이들을 완전히 만족시킬 수는 없다.

우리는 가족이 따뜻한 사랑과 호의로 충만한 관계이며 가정은 사랑과 평화의 성소라고, 또 그래야 한다고 교육받아 왔다. 그래서 부모, 형제자매, 또는 자식과 갈등이나 불화가 생기면 뭔가 크게 잘못됐다고 생각한다. 하지만 진화적 관점에서 가족 관계는 협력도 가능하지만, 자원을 두고 경쟁을 벌이는 사이기도 하다.

부모의 자원을 놓고 벌이는 형제자매 간 갈등뿐만 아니라 부모와 자녀 사이에도 각자의 유전적 이익을 극대화하기 위한 갈등이 존재할 수 있다. 부모-자식 갈등 이론으로 유명한 진화생물학자 로버트 트리버스가 "사람들은 어떻게 하는 것이 자신에게 가장 좋을지를 생각하기 마련이며, 그것은 아이에게 가장 좋은 것과 충돌할 수도 있다"라고 말한 데는 이런 맥락이 자리한다.

이런 깨달음에 이르면 차라리 맘이 편해진다. 아이들이 자기는 빵을 2개 받고 동생이나 언니는 1개 받기를 바라는 것이 그들의 욕망이듯이, 빵을 두 아이에게 똑같이 나누어주고 싶은 것도 내 욕심이니까. 아이들끼리 싸우는 건 엄마가 뭘 잘못해서가 아니다. 그냥 원래 그런 관계다. 지지고 볶고 그러다가도 또 화해하고 서로 돌보아주는. 그래도 3개 중에 하나는 나눠주고 싶다지 않은가. 그거라도 어딘가.

시댁 대 처가,
그 치열한 전쟁

"두 사람이 만나는 것은
두 가지 화학 물질이
접촉하는 것과 같다.
어떤 반응이 일어나면
둘 다 완전히 바뀌게 된다."

_칼 융

코로나 때문에 추석이나 설 명절에도 친척들 얼굴조차 못 보고 지낸 지 두 해가 넘어섰다. 그러다 보니 갓 결혼한 지인이 시댁에서 추석을 세고 와서는 진짜 결혼했다는 실감이 나서 울었다는 이야기가 먼 옛날이야기 같다. 친구 하나는 코로나 때문에 유일하게 좋은 점이 명절에 친정 먼저 갈지, 시댁 먼저 갈지, 또 양가에서 며칠씩 머무를지를 두고 남편과 신경전을 벌이지 않아도 되는 점이라며, 코로나가 끝나도 명절 문화만큼은 계속 이대로 간소하게 이어졌으면 좋겠다고 힘주어 말하기도 했다.

고부 갈등이야 워낙 고전적인 스토리지만, 요즘은 결혼 후 여러 가지 이유로 시댁보다 친정 가까이 사는 집이 많아지면서 장서 갈등도 만만치 않다. 맞벌이를 하는 한 남자 동료는 자녀 돌봄을 장모님께 부탁드리느라 장모님과 같은 아파트 아래윗집으로 살고 있는데, 명절은 일 년에 몇 번 만나지 못하는 자기 부모님 집에서 지내면 안 되겠냐고 말을 꺼냈다가 아내와 대판 싸웠다고 한다. 뭔가… 양쪽 다 이해가 간다. 보통 설이나 추석 같은 명절이 끝나면 이혼율이 급증했는데 코로나 이후로 그런 현상이 사라졌다고 하니, 많은 사람들이 명절 동안 시댁이나 처가에서 며느리나 사위 노릇을 하는 것이 쉽지 않은 모양이다.

실제로 부부 관계에서는 별 문제가 없었는데 시댁이

나 처가가 끼어드는 순간 심각한 문제로 이어지는 경우를 종종 볼 수 있다. 그럴 때 나는 칼 융의 말을 가져와서 주관적인 해석을 덧붙여 본다. 칼 융은 두 사람의 만남을 두 가지 화학 물질이 접촉하는 것에 비유한 바 있다. 어떤 반응이 일어나느냐에 따라 개체성이 완전히 바뀌는 특성을 지적한 것인데, 이를 보면 시댁과 처가야말로 아내와 남편이라는 개별 개체의 반응을 극대화시키는 최대 변수 중 하나가 아닌가 싶다.

어쨌거나 처가와 시댁을 사이에 두고, 부부 사이에는 때로는 대놓고 때로는 미묘하게 긴장이 끊이지 않는다. 현대사회에 들어와 가부장제가 약화되면서 새로 나타난 갈등이라고 생각할지도 모르겠지만, 친정과 시댁 사이의 긴장은 유사 이래 되풀이된 오래된 갈등이다. 여성이 남을 것인가, 남성이 남을 것인가?

침팬지나 다른 영장류처럼 사회적 집단을 이루고 사는 많은 동물들은 번식 연령에 도달하면 근친교배를 피하기 위해 한쪽 성이 출생 집단을 떠나 새로운 집단으로 이주해 번식한다. 예를 들어 개코원숭이는 수컷이 번식기에 도달하면 출생 집단을 떠나서 번식한다. 인간과 가까운 유인원(침팬지, 고릴라)들은 대개 부거제(수컷이 출생 집단에 남고, 암컷이 출생 집단을 떠나서 번식하는 거주 형태)를 보인다.

하지만 인간은 매우 유동적이다. 많은 수렵 채집 사회들에서 모계 가족과 부계 가족 집단 사이를 자유롭게 오가는 거주 패턴을 보이는데, 이러한 거주 형태를 양거제 사회라고 부른다.

그렇다면 왜 이런 결과가 나타난 것일까? 많은 인류학자들이 전통적인 수렵 채집 사회를 직접 연구한 결과, 유아에 대한 돌봄 공유에 모계 친족이 중요하다는 증거들이 쌓였다. 아마 인간이 유아에 대한 돌봄과 부양을 집단 내에서 공유하는 종으로 진화하면서, 여성이 모계 근처에 남는 것이 유리했을 것이다. 이에 대해 초기 인류학자였던 모건은 정주 생활, 농경과 목축 사유재산, 사회계층화가 진행되면서부터 부거제와 가부장적 규범이 퍼져나갔다고 주장했다. 많은 부족사회에서 집단 간 여성을 교환하는 방식을 통해 혼인하는 교환혼 문화가 존재했던 사실도 이와 무관하지 않다. 분명 농경과 정착, 사유재산 문화가 널리 퍼진 약 1만 년 전부터는 여성이 출생 집단을 떠났던 경우가 더 많았을 것이다. 하지만 아마도 그보다 더 오래전에, 인간이 인간으로 진화하던 수십 수백만 년의 오랜 세월 동안, 인간은 훨씬 더 유연하게 처가와 시댁 사이를 오가며 살았을 가능성이 높다.

그런데 누가 누구에게 도움이 되는지는 남편과 아내

사이에 이견이 있을 수 있다. 많은 연구들이 모거제는 여성에게 더 도움이 되고, 부거제는 남성에게 도움이 된다는 사실을 밝힌 바 있다. 수렵 채집 사회에서는 모계사회 여성의 키와 체질량 지수가 더 크고, 여성이 낳은 아이의 생존율이 높아진다. 현대 산업사회에서도 모계 친족과 같이 사는 여성이나 주변에 혈연관계의 성인 남성(아버지, 남자 형제, 할아버지)의 수가 많은 여성일수록 남편으로부터 가정 폭력을 당할 가능성이 낮아진다. 반면에 가부장적 부계 친족 중심인 사회일수록 남성의 부성 확실성(자식이 친자일 가능성)이 크고 남성의 출생 자식 수가 많아진다. 그러니 여성이 친정에 있고자 하고 남성이 본가에 있고자 하는 데는 각자 그럴 만한 이유가 있는 셈이다.

수렵 채집 부족의 가족 관계를 연구하는 멜리사 크리텐든은 "인척 관계는 인간 사회성의 중요하고 독특한 특징이다. 인척 관계의 협력은, 협력이 직계 친족 너머로 확장되는 첫 번째 단계일 수 있고, 이를 기점으로 유전적으로 연관되지 않은 개인들과의 협력이 일반화될 수 있었던 것일지 모른다"고 했다. 인척, 즉 남편이나 아내의 가족들은 피를 나누지 않고도 부부 사이의 자녀를 중심으로 유전적 이해관계를 공유할 수 있는 중요한 협력 파트너가 될 수 있다는 의미다. 실제로 수렵 채집 사회를 조사한 결과, 같은 캠

프를 공유하는 사람들 중 1/4이 혈연관계의 친족인데 반해 그보다 많은 절반 정도의 사람들이 결혼을 통해 인척 관계를 맺은 사람들이었다. 대부분의 인간 사회는 모계와 부계를 폭넓게 인지하고, 인척은 상호 호혜적 관계를 맺는 주된 협력 파트너가 된다. 또 씨족이나 부족 집단 간 혼인을 통해 집단 간 인척 관계를 맺고 사회가 확장되기도 한다.

생각해 보면 나도 첫째가 태어난 후로 시댁 가족들과의 관계가 질적으로 바뀌었다는 느낌을 받은 적이 있다. 아이를 낳기 전까지 시댁은 단지 남편의 가족일 뿐이었다. 나와의 직접적인 이해관계는 없고, 남편과 이해관계를 공유하는 사람들이었다. 남편과 내가 이해관계가 일치하지 않는 경우, 남편의 가족들은 겉으로 드러내진 않아도 심적으로 남편과 같은 편에 설 수 밖에 없다. 법적인 가족으로 묶이게는 되었지만 사실 친한 친구들이 훨씬 더 가깝게 느껴지는 관계다. 하지만 아이를 낳고 나니 많은 것이 바뀌었다. 아이는 내 자식인 동시에 시댁 가족들에겐 손자, 조카로 피를 나눈 혈연이다. 태어난 아기를 안고 나만큼이나 행복해하시는 시어머니와 손위시누를 보면서 이런 생각이 들었다. 혹시 내가 죽더라도 이분들이 내 아이를 돌봐주시겠구나…. 반면 아무리 친한 친구라도 내가 죽으면 내 대신 아이를 부탁한다고 유언을 남기기는 쉽지 않다.

20만년 이상의 호모 사피엔스의 역사에서 규범적으로 부계를 따랐던 것은 그리 오래되지 않았다. 그 이전에 아주 오랫동안 그리고 다시 현대사회에 들어서, 인간은 모계 친족 집단을 이루고 살지, 부계 친족 집단에서 살지에 대해 유동적이고 편의적인 선택을 하면서 살아왔다. 그리고 부부간의 이해관계는 항상 엇갈려 왔다. 명절마다 친정과 시댁 사이에서 난기류가 형성되는 것은 이 매우 오래된 갈등과 무관하지 않을 것이다. 그럼에도 불구하고 인척들은 혈연관계가 아닌데도 유전적 이해관계를 공유하게 되는, 다른 어떤 관계보다도 질적으로 특별한 유대 관계를 맺을 수 있는 사람들이기도 하다. 모계와 부계를 둘러싼 갈등과 협력 사이에서 타협안을 찾아야 되는 것은 우리 인간 가족에게 남겨진 오래된 숙제인 것 같다.

의례에서 배제된 여자들

“여성은 친족의 보호자다.”

_마틴 데일리

얼마 전에 친구 아버지께서 돌아가셔서 조문을 다녀왔다. 몇 년 전부터 병환으로 병원에 계셨던 터라 친구도 어느 정도 마음의 준비는 하고 있었던 모양이다. 하지만 어머니를 먼저 여의고 이제 아버지까지 보내드려야 하는 친구의 마음이 얼마나 황망할까 생각하니 너무 안쓰러웠다. 바쁜 와중에도 아버지가 계신 병원에 자주 다니며 챙기고, 친구들끼리 다 같이 모일 때에도 병원에 가는 날이라며 못 올 정도로 지극한 친구였다. 보통 사람들이 할 수 있는 것보다 더 많은 것들을 아버지를 위해 해드렸던 친구였기에, 적어도 마음속에 후회는 남지 않기를 바라며 장례식장에 도착했다. 담담한 위로를 건네야지 하고 다짐하고 갔건만 검은 상복을 입고 있는 친구를 보니 왈칵 눈물이 나버렸다. 게다가 코로나 와중이라 해외 파견 근무 중인 남동생이 입국 시 격리 등의 문제로 오지 못했다기에 친구 혼자 얼마나 외롭고 힘들지 마음이 아팠다. 그래도 친구의 남편이 함께 자리를 지키며 같이 있어주어서 다행이었다.

친구와 친구 남편에게 인사를 하고 나오는 길이었다. 이렇게 힘든 일을 겪을 때 옆에 있는 사람이 큰 힘이 되겠구나 싶으면서도, 친구 아버지 장례식에서 그 자리에 있는 하나뿐인 혈육이 상주가 아니라 그녀의 남편이 상주라는 사실이 아이러니했다. 상주는 무조건 남성만 해야 한다는 가부장적 장례 문화는 그 죽음을 가장 애도하는 사람들을 뒤로 물러서 있게 하고 의례의 본질을 지워버린다. 얼마 전 읽은 《딸은 애도하지 않는다》라는 제목의 에세이집은 가까운 혈육의 장례 의례에서 배제된 여성들의 이야기로 가득 차 있었다. 진화심리학자 마틴 데일리는 여성을 '친족의 보호자'라고 했다. 하지만 우리는 여성을 친족과 관련된 의례에서 철저히 뒤로 물러나게 하고 또 배제한다.

서구 사회를 대상으로 한 조사를 보면, 여성이 남성에 비해 친족에게 더 큰 관심을 쏟고, 친족과 더 자주 연락하고, 친족을 더 가깝게 여기고, 더 많은 친족을 기억하는 경향이 있다. 우리 사회에서도 이와 크게 다르지 않을 것 같다. 이 차이가 선천적인 심리적 차이에 원인이 있는 것인지, 사회문화적 학습으로 인한 것인지 확실하지는 않지만 아무튼 많은 사회에서 여성이 가족과 친족들을 더 각별하게 생각한다. 또 여성이 남성보다 친족을 더 가깝게 생각하고 더 많이 돕는 것뿐만 아니라, 이 차이는 중년이나 노년이 될수록 더욱 커진다.

인간 아기는 어머니 혼자서 키우는 것이 결코 불가능한 정도의 돌봄과 부양을 필요로 한다. 이러한 사실들을 토대로 영장류학자이자 생물인류학자인 새라 블래퍼 허디는 인간이 침팬지와 분기한 이후에 협동 육아를 하는 종으로 진화했을 것으로 추정한다.

협동 번식으로 가장 잘 알려져 있는 동물은 개미나 벌 등의 진사회적 곤충들이다. 여왕의 알을 기르기 위해 여왕의 딸들인 일개미들은 평생 스스로 번식하지 않고 어머니의 번식을 도와 자신의 자매를 기른다. 하지만 이렇게 극단적인 협동 번식 이외에도 일부 포유류 중에서 새끼의 양육을 함께하는 하는 종들이 있다. 코끼리, 사자, 야생 개, 그리고 절반 정도의 원숭이 종들이 여기에 해당된다.

협동 육아를 하는 동물들은 대부분 모계 혈연들로 이루어진 집단에서 사회생활을 하며, 어미뿐만 아니라 이모, 할머니들이 다 함께 새끼들을 돌본다. 협동 육아를 하는 포유류 중 가장 잘 알려진 동물 중 하나인 코끼리는 집단의 성체 암컷들이 함께 새끼들을 보호할 뿐만 아니라, 친자식이 아니더라도 젖을 나누어 준다. 당연하게도, 무리 내 성체 암컷들의 숫자는 새끼 코끼리의 생존 가능성과 비례한다.

협동 육아를 하는 원숭이들 역시 새끼에 대한 돌봄뿐만이 아니라 수유나 음식 제공을 함께 공유하기도 한다. 이들은 모계 혈연 중심으로 이루어져 있기는 하지만, 매우 드물게 일부 종에서는 어미와 짝짓기를 한 수컷이나 아직 번식 연령 전의 어린 수컷들도 함께 새끼들을 돌본다.

동물의 세계에서 어미(또는 아비)와 새끼 사이를 제외

하고, 음식 공유는 거의 일어나지 않는데 반해, 협동 육아를 하는 종에서는 집단의 어른 개체들이 공동으로 집단 내 새끼들에게 먹을 것을 제공하는 일이 드물지 않다. 다양한 동물 종 간 비교 연구는 어린 것들에 대한 돌봄 공유와 집단 구성원 사이의 친사회적인 음식 공유가 밀접하게 연관된 특징이라는 것을 보여준다. 그리고 최근 영장류 14종을 대상으로 수행된 비교 실험에서도 협동 양육과 돌봄을 더 많이 공유하는 종일수록 자기 집단의 구성원을 돕는 데 더 적극적이었다. 인간성의 가장 훌륭한 본질이라고 일컬어지는 인간 친사회성의 기원 역시 가족, 또는 친족 관계를 중심으로 한 돌봄 공유와 무관하지 않다.

친구 아버지의 발인일이 지나고 며칠 뒤에 혼자 고생 많았다고, 도움이 많이 못 되어 미안하다고 친구에게 전화를 했다. 다행히 친구 목소리가 밝다. 정신이 없기는 했지만, 가까이 계신 이모들이 모두 오셔서 하나하나 챙기고 도와주고 자기보다 더 고생을 했다고. 덕택에 정말 감사하게 맘 편히 아버지를 보내드릴 수 있었다고 한다. 그리고 사실 그동안 이모들이 도와주지 않았다면 지금까지 아버지 병간호를 혼자 감당할 수 없었을 거라면서 장례도 잘 마쳤다고 전해주었다.

과거 가부장제 사회에서는 여성의 사회경제적 지위

가 남성에 비할 바가 못 되었으니 그래서 오히려 딸보다 사위가, 남자 조카가, 손자가 상주가 되는 것이 여러 가지 이유로 선호되었을 것이다. 하지만 지금 우리가 그런 불필요한 절차와 의식을 답습할 필요는 없다. 서울시에서 공모한 '이제는 바뀌어야 할 의례 문화' 시민 공모전의 수상작 3편 중 2편이 남성 중심적 장례 의례에서 여성으로서 겪었던 문제에 관한 내용이었다니, 이제는 정말 꼭 바뀌길 바래본다. 진정한 친족의 보호자는 바로 여성이니까 말이다.

6장

내 친구를 소개합니다

나만 외톨이가 되는 건 아닐까?

"숲 속에 두 갈래 길이 있었고,
나는 사람들이 적게 간 길을 택했다."

_로버트 프로스트

대학 후배한테서 결혼한다고 연락이 왔다. 결혼식장도 멀지 않은 곳이라 평소 같았으면 아무 생각 없이 가서 축하해주었을 텐데, 하필 사회적 거리두기가 한창일 때라 결혼식에 가는 게 도와주는 건지 가지 않는 게 도와주는 건지 헷갈렸다. 그래서 그냥 물어봤다.

"근데 내가 가는 게 돕는 거야? 안 가는 게 돕는 거야?"

"아니, 당연히 오면 좋은데, 지금 같아선 식사 제공을 마흔아홉 명 밖에 못해서 저도 뭘 어떻게 해야 될지 모르겠어요."

곧이어 예비 신부의 한 맺힌 넋두리가 이어졌다. 이건 정말 너무한 거 아니냐, 결혼을 하란 거냐 말란 거냐, 차라리 하지 못하게 하고 예약 변경할 수 있게 위약금을 환불해주도록 하던가, 결혼식에 양가 합쳐 아흔아홉 명 제한이 말이 되냐, 나 혼자 청첩장 돌리고 연락해야 되는 사람만 해도 그 정도는 된다…….

그러게 진짜 이 시국에 결혼하느라 너무 고생이 많다며 위로를 하다가, 갑자기 퍼뜩 만약 지금 내가 청첩장을 돌린다면 (아직 남편과 잘 지내고 있지만, 그냥 한 번 생각해 본 것뿐이다. 오해 마시길) 몇 명이나 초대할 수 있을지 궁금해졌다. 오랜만에 10년 전 결혼식 사진을 꺼내 보니 친구들을 많이도 불렀다. 청첩장도 엄청 많이 찍었고, 그걸 돌리는 것도 큰일이었다. 사람들을 만나며 청첩장 전달하는 과정이 결혼 준비에서 제일 힘든 일 같다고 투덜거렸었는데, 요즘 예비 신부나 신랑들 처지에 비하면 호사였구나 싶다.

결혼식장에서 사진사가 "마지막으로 친구 분들 나오세요~" 하면 사진 한 장에 이 많은 사람들이 다 들어갈까 걱정되던 때도 있었는데, 언젠가부터 주위에 남은 친구들은 네다섯 명뿐이다. 예전보다 친구 관계의 수가 많이 줄어든 걸 절절히 느낀다. 지금의 나라면 코로나 방역 수칙을 지켜가며 결혼하기가 크게 어렵지 않을 것 같다. 어쩌면 나 같은 40~50대 공무원들이 결혼식 하객 수 제한 기준을 세워서 그럴지도 모른다. 20대 30대 예비 신랑 신부에게는 도저히 납득 불가능한 숫자이지만, 그들에게는 괜찮아 보여서 그랬을 거라는 실없는 생각도 든다.

나이 들면서 느끼는 여러 변화 중 하나는 인간관계가 좁아지고 위축되는 건 아닐까 하는 걱정이다. 하지만 이건 나만 그런 게 아니라 보편적인 현상이다. 연구에 따르면 친구 관계는 물론 우정의 네트워크 크기도 연령대에 따라 계속 변화한다. 여러 연구 조사에서 40대의 친구 수는 청소년기 이후로 생애 최저치를 기록하며 바닥을 친다. 일반적으로 3~4세쯤부터 서로 우선적으로 상호작용하고 싶어 하는 (다른 사람에 비해 더 같이 놀고 싶어 하는) '친구' 관계를 형성하기 시작한다. 초등학교에 입학하기 전까지는 보통 친한 친구 수는 한두 명 사이로 유지되다가, 사춘기와 초기 성인기까지 점점 늘어서 베스트 프렌즈 숫자는 생애 최고점을 찍는다. 그런데 중기 성인기에는 그전까지 계속 커지기만 했던 가까운 친구들의 수가 처음으로 감소하는 양상을 보인다. 40대의 친구 수는 20대 후반에 비해 큰 폭으로 감소했다가 60대에 은퇴를 앞둔 시점에 다시 소폭 상승한다.

나이가 들면서 사회적 유대의 네트워크 크기가 변하는 건 비단 우리 인간뿐만이 아니다. 하버드 대학 인간진화생물학과 연구진들이 최근에 발표한 연구에서, 사람과 가장 가까운 동물인 침팬지들도 나이에 따라 친구 관계가 달라진다고 한다. 침팬지 연구자들은 침팬지의 우정을 상대방의 털을 골라주는 시간으로 측정한다. 우간다의 침팬지들을 20년 동안 관찰한 연구에서 15세 된 침팬지들은 그다지 친밀하지 않은 침팬지들과도 폭넓게 교류하는 반면, 40세 정도의 침팬지들은 15세 된 침팬지들에 비해 더 친밀한 관계의 침팬지들과만 털 골라주기를 주고받는다고 한다.

침팬지의 일종인 보노보들도 나이에 따라 다른 보노보를 위로하는 행동이 달라진다는 또 다른 연구 결과도 있다. 보노보들은 싸움에서 진 다른 보노보에게 다가가 안심시켜 주고 걱정하지 말라는 듯한 위로 행동을 한다. 그런데 아직 덜 자란 보노보들은 같은 집단의 거의 모든 다른 보노보들에게 위로 행동을 하지만, 다 자란 보노보들은 가족이나 친한 친구들만 위로하는 경향이 있다. 연구자들은 아마도 다 자란 보노보가 위로할 대상을 신중하게 고르기 때문이라고 추측했다.

이런 연구들을 보면 보노보나 나나 다를 바 없구나 하는 공감이 간다. 연구실에 있던 다른 40대 동료는 내가 마흔의 친구에 대해서 글을 쓰고 있다고 하니까, "우리 나이에 친구는 호사죠" 하며 웃었다. 아마도 가장 큰 이유는 이 시기가 가정에서, 직장에서, 사회에서 가장 할 일이 많은 때라서 친구들과 함께 보낼 수 있는 시간이 절대적으로 부족하기 때문일 것이다.

하지만 또 다른 이유도 있다. 전에는 친구들과의 삶의 경로와 그 길 위에서의 위치가 비슷비슷했던 것 같다. 처음 어른이 되었을 때는 험난한 미지의 길을 친구들과 손을 잡고 헤쳐 나가며 서로에게 의지할 수 있었다. 하지만 로버트 프로스트의 시 〈가지 않은 길〉의 시구처럼, 지금 우리들은 각자의 갈라진 길로 접어들어 멀리 떨어져 있는 여러 갈래의 길 위에 있다. 누군가는 전력질주로 뛰고 있고 누군가는 주위를 살피며 천천히 걸어가고 있다. 달라져 버린 인생 항로로 인해 함께 공감할 수 있는 주제도, 함께할 수 있는 시간도 많이 줄어들었다. 하지만 각기 다른 친구들의 모습에서 나는 내가 '가지 않은 길'을 본다. 그렇게 우리는 서로에게 가지 않은 길이 되어준다. 지금까지 곁에 남아있는 친구들은 멀리 떨어진 길에서도 이따금씩 서로를 바라보며 응원해 줄 수 있는 소중한 사람들이다.

3총사는 있어도
30총사는 없다

"3총사는 있어도,
30총사는 없다.
황야의 7인은 있어도
황야의 70인은 없다."

_마틴 노왁

어떤 심리학자들은 여성이 자식의 생존을 높이기 위해 친구를 잘 사귀도록 적응했다고 말한다. 그런데 석연치 않다. 여자들이 친구를 쉽게 사귀는 것 같긴 하지만, 한편으론 친구 사이의 복잡 미묘한 갈등 역시 훨씬 많아 보이기 때문이다.

어느 날 우리 집 재간둥이 둘째 딸이 친구랑 싸우고 울면서 들어왔다. 무슨 일인데 하고 물으니, 베프 포함 삼총사 셋이 놀았는데 베프가 자기랑은 같이 안 놀고 다른 친구랑 더 친하게 놀았다고. 게다가 손도 둘이서만 잡고!

어른들 역시 베프라고 생각했던 친구가 다른 친구와 더 친하다는 사실을 받아들일 때는 맘이 요상하다. 단지 어른들은 여러 가지 매너상 티를 내지 않고, 좀 더 요령껏 사회생활을 하지만, 아이들은 아직 서툴러서 맘을 그대로 표현할 뿐이다. 아무튼 여덟 살 어린 인생에도 어른들 못지않은 갈등과 고민이 들어있는 것 같아 짠하면서도, 점점 더 큰 우정의 관계를 맺고 유지하는 인생의 과업을 아이가 앞으로 잘 헤쳐 나가기를 응원했다.

초등학교에 다니는 여자 아이들의 친구 관계는 남자 아이들보다 그룹의 규모가 작고 서로 간에 더 독점적인 경향이 있다. 또 남성은 우정의 질보다 양을 중시하는 반면, 여성은 양보다 질을 더 중요하게 생각한다고 한다. 아무튼 분명한 건 어떤 연령대에서건 여성들은 남성보다 친구 사이에서 정서적 지원을 주고받는 걸 중시한다는 점이다. 정서적 지원이란 한정적인 자원인 시간과 정신적 에너지를 써야 하는 일인데, 안타깝게도 나이가 들수록 가정과 사회에서 맡아야 하는 역할과 일이 많아지고 시간이 너무 부족하다. 가끔은 해야 할 일들만 처리하는데도 숨만 쉬고 사는 듯한 기분이 든다. 이런 물리적 제약으로 인해 우리가 유지할 수 있는 친구 수에도 제한이 있다.

하지만 그렇다고 해서 베스트 프렌드 한 명과만 우정을 유지하는 게 최선의 선택은 아니다. 협력에 있어 참여자 수가 너무 적으면 협력으로 인한 시너지 효과가 너무 작아서 효율성이 떨어지는 것처럼, 우정의 네트워크에서도 친구의 수가 단 둘일 때보다 네다섯 명 이상일 때 친구 관계가 더 잘 유지된다. 사실 학교를 졸업하고 사회생활을 하면서 만난 친구 관계가 오랫동안 유지되기 어려운 이유 중 하나가 일대일 관계에서 오는 부담 때문이 아닐까 하는 생각을 해본 적이 있다.

일대일 관계에서는 관계를 유지하기 위해 상대방의 필요를 충족시켜 줄 수 있는 사람이 나뿐이라는 부담감이 생긴다. 친한 친구의 수가 적을수록 서로의 운명이 더 강하게 묶인다는 경제학적 증명은, 간신히 숨만 쉬고 사는 성인기 정점의 빡빡한 삶에서 밀도 있는 관계를 유지해야 하는 부담이 되기 쉽다. 내가 절실히 친구가 필요할 때 하나뿐인 베프는 중요한 프로젝트 때문에 밤새 야근을 하고 있을 수도 있고, 또는 삶의 경로나 단계가 너무 달라져서 둘 사이의 공유할 수 있는 주제가 점점 사라질 수도 있기 때문이다.

이럴 때 다른 친구가 한두 명 더 있다면 시간이 맞는 친구들끼리 이렇게 저렇게 만나면서 모임이 유지되기도 하고, 각자 다른 삶 속에서도 한두 명씩 겹치는 공통분모를 통해 유대감을 이어 나갈 수도 있다. 그래서 그런지 대부분 오랫동안 지속적으로 관계가 이어지는 친구들은 세 명에서 일곱 명 사이의 그룹인 경우가 많다. 〈섹스 앤 더 시티〉의 캐리와 친구들도 네 명이고 〈프렌즈〉의 친구들도 남자 셋, 여자 셋, 총 여섯 명이다.

"3총사는 있어도, 30총사는 없다. 황야의 7인은 있어도 황야의 70인은 없다." 협력을 수학적 수식으로 증명하기 위해 평생을 바친 하버드 대학교의 경제학자이자 생물학자인 마틴 노왁 교수의 말이다. 누구나 살면서 경험을 통해 그룹의 규모가 커질수록 그룹 멤버들 간에 유대 관계는 약해진다는 걸 경험적으로 느끼지만, 이를 그룹 네트워크 공식을 통해 수식으로 증명해 냈다는 데 경의를 표하지 않을 수 없다. 노왁과 동료들은 그룹 규모가 커질수록 협력에 필요한 비용 대비 편익이 커야 협력이 유지된다는 것을 수학 공식으로 증명했다. 사람 수가 많은 그룹에서는 편익이 충분히 크지 않으면 배신자 또는 무임승차자들이 늘어나 협력이 유지되지 않는다. 그렇다고 두 명의 친구 관계에서는 서로에 대한 의존도가 높아지면서 감당해야 할 부분도 커진다. 그래서 두 명의 베스트 프렌즈보다는 3총사가 더 오래 유지되기 쉽다. 최고의 친구 숫자는 물론 사람마다 다르겠지만, 대부분은 노왁의 말처럼 3총사와 황야의 7인 사이가 아닐까 싶다.

우정과 협력의 진화

“우리를 돕는 것은
친구들의 도움이 아니라
친구들의 도움에 대한 확신이다.”

_에피쿠로스

"이모, 안녕하세요?"

오랜만에 친구네 집으로 놀러갔더니 그새 또 훌쩍 큰 친구 아들이 살갑게 인사를 한다. 친구 아들은 나를 이모라고 부른다. 사실 나는 자매가 없어서, 이모 노릇은 팔자에 없겠구나 했는데, 웬걸 나를 이모라고 불러주는 친구의 아이들 덕분에 조카 부자다.

나도 우리 아이들에게 내 친구를 소개할 때는 꼭 '○○이모'로 소개한다. 실제로 친한 친구 사이는 자매지간 같기도 하다. 혈연간 상호적인 유대 관계를 맺는 심리가 비혈연으로까지 확장된 관계가 친구라고도 하는데, 이 때문에 우리는 무의식적으로 친한 친구와의 관계에서 혈연관계 호칭을 사용하는 게 아닌가 싶다.

많은 사회에서 협력이나 동맹 관계를 강화하기 위해 아예 의식적으로 혈연 용어를 이용한다. 의형제, 의자매, 대모, 대부 같은 용어처럼, 부르는 이름은 조금씩 다르더라도 전 세계 어디서나 쉽게 찾을 수 있다. 사람들은 피를 나누지는 않았지만 친근한 관계를 맺은 경우, 친족 호칭을 사용해 유대감을 강화한다.

우정의 정의는 사람마다 다를 수 있지만, 보통 혈연관계가 없는 사람과 자발적인 사회적 상호 유대 관계를 형성한 경우에 친구라고 말한다. 사실 피, 정확하게는 유전자를 공유한 혈연지간, 예를 들면 부모 자식 사이 또는 형제자매간의 유대는 상대방을 도움으로써 서로 공유하고 있는 유전인자의 확산을 도모할 수 있기 때문에 진화적으로 쉽게(?) 설명이 가능하다. 반면 혈연관계가 없는 타인과 친밀한 관계를 맺고 돕는 행동은 아직까지도 완전히 풀리지 않은 진화적 수수께끼로 남아있다.

하지만 우리가 친구를 통해 행복, 또는 긍정적인 감정을 경험한다는 사실, 그리고 우리에게 '우정'이란 꽤 강렬한 감정이 존재하다는 사실은 친구가 진화적으로 중요한 이득이 있었음을 역으로 추론하게 한다. 심지어 친구를 가족보다 더 가깝고 친밀하게 여기는 경우도 많다. 진화심리학자 데이비드 버스는 사회적인 동물들이 집단생활에서 연대를 맺고 협력하는데 따른 이점으로 인해 '우정'이란 감정이 진화했고, 이러한 감정이 우리가 친구를 사귀고 유지하도록 돕는다고 했다.

보통 우리는 이해득실을 따지지 않아야 진정한 친구라고 생각하지만, 진화적인 관점에서 봤을 때 친구란 서로 도움이 되는 관계라 봐야 할 것 같다. 다른 동물들도 인간만큼은 아니지만 비혈연 개체와 사회적 유대를 맺고 서로 돕는다. 앞서 언급한 침팬지나 보노보 외에도 원숭이, 돌고래, 말 등의 다른 동물들에게도 친구가 있다. 지금으로선 동물들의 친구 관계가 정서적 안녕에 얼마나 영향을 미치는지 알 수 없지만, 동물행동생태학자들은 동물들의 친구 관계에서 행복보다 더 중요한 진화적인 이점이 있다는 놀라운 사실을 발견했다.

친구들과 어울리는 데 많은 시간을 보내는 암컷 개코원숭이의 새끼는 생존 가능성이 더 높다. 사회적 유대 관계가 튼튼한 붉은털원숭이 암컷과 수컷 모두 새끼 생존율이 더 높다. 원숭이들뿐만 아니라 암컷 야생마의 경우에서도 다른 말들과 친밀한 상호작용을 많이 하는 암말이 망아지를 더 많이 낳는다. 우정에는 분명 생존과 번식에 도움이 되는 적응적인 이점이 있다.

35~45세의 미국 여성들을 대상으로 한 연구에서는 돈을 빌리거나, 아이들을 잠시 맡아주거나, 경찰과 문제가 생겼을 때 도와주는 등등의 경험, 즉 중요한 도움을 주거나 도움을 받은 경험에 대해 질문했다. 사실 이 연구는 가까운 혈연 사이에 도움을 주고받는 형태를 확인하고자 했던 연구지만, 조사 결과 혈연지간의 도움은 전체의 3분의 1에 불과했고, 나머지 많은 도움 행동은 가까운 친구 사이에서 일어났다. 우정의 상호 호혜성은 인간에게도 분명한 혜택 중 하나인 것이다. 또 다른 연구에서는 친구와의 우정에서 긍정적 감정을 예측하는 요인을 조사했는데, 참여자들은 관계에서 혜택을 더 많이 얻을수록 그 친구와의 우정을 더 긍

정적으로 평가하는 경향이 있었다.

하지만 그렇다고 우리의 우정이 비용과 편익이 딱 떨어지는 계산적인 관계라고 생각되지는 않는다. 오랫동안 이뤄진 신뢰 관계에 바탕한 우정은 서로 호의를 주고받는 대차대조표에서 일시적으로 한쪽이 기울어진다고 해서 크게 개의치 않기 때문이다. 또 주고받는 호의가 반드시 물질적인 것도 아니다. 특히 여성의 경우 남성보다 친구 간에 정서적인 지지를 주고받는 것이 가장 중요한 경우가 많다. 가까운 친구를 돕게 만드는 이타주의 기제는 친족을 돕는 심리 기제와 상당히 유사한 면이 있다. 아마도 가까운 친구와의 관계에서는 혈연관계에서 진화한 호혜적 심리 기제가 동원되기 때문일 것이다.

가까운 친구를 도울 때, 우리는 나중에 나에게 돌아올 이득이 무엇인지 이것저것 따져보고 돕지 않는다. 또 나에게 곤란한 일이 생겼다면, 친구도 똑같이 나를 도왔을 거라고 믿는다. 깊은 우정에서 당장의 호의의 교환보다 더 중요한 것은 상대방이 언제라도 호의에 보답할 것이라는 믿음이다. 그리스 철학자 에피쿠로스의 말대로 "우리를 돕는 것은 친구들의 도움이 아니라 친구들의 도움에 대한 확신이다." 이런 신의와 믿음을 바탕으로 한 우정은 혈연관계에서 오는 유대감보다 못하지 않다.

부러움의 시대에 대처하는 우리의 자세

“비교는 기쁨의 도둑이다.”

_시어도어 루스벨트

"왜 당신의 친구는 당신보다 더 많은 친구를 가졌을까?" 꽤 자극적인 이 질문은 사실 퍼듀 대학 사회학과 스콧 펠드 교수의 논문 제목이다. 이 논문에는 친구와 관련된 흥미로운 실험이 나온다. 페이스북이나 인스타그램 등의 소셜 네트워크에서 무작위로 백 명의 사용자를 선택해 그들과 연결된 친구의 숫자를 확인하고 평균을 구한다. 이번에는 그 친구들이 각각 얼마나 많은 친구를 갖고 있는지 확인해 다시 평균을 낸다. 그러면 전자보다 후자의 평균 숫자가 더 크다. 통계적으로 보통 사람이 인기 있는 사람을 알고 있을 확률이 그 반대의 경우보다 훨씬 더 높기 때문이다. 다시 말해 내가 나보다 인기 있는 사람을 알고 있을 가능성은 높고, 인기 없는 사람들을 알고 있을 가능성은 낮다. 이는 '우정의 역설'로 알려져 있다.

인기뿐만이 아니다. SNS상에 올라오는 친구들의 수많은 사진과 트윗들은 그들의 멋진 경력, 화려한 집, 활기 넘치는 건강과 여전한 아름다움을 융단폭격처럼 우리 마음에 투하한다. 바야흐로 부러움의 시대다. 내가 멋진 친구들을 알고 있음은 좋은 일이다. 알고는 있지만 사실 마음 한편에서 씁쓸한 기분이 드는 것도 사실이다.

친구들은 가장 가까운 비교 대상이기에 의식하건 못하건 간에 자꾸 비교하게 된다. 친구들이 이룬 성과, 경력,

부, 인맥들을 칭찬하고 축하하고 나면, 한편으로는 '나는 지금껏 뭐 했나' 하는 자괴감이 들기도 한다. 소위 '비교병'이라고도 불리는 이 마음은 특히 내가 가지지 못한 부분에서 더 강렬하게 나타나는데, 내가 외로울 때는 인기 많은 친구가, 내가 사회적으로 성공하지 못했다고 느낄 때는 성공한 친구가, 아이가 있었다면 하고 바란다면 아이가 있는 친구가 부럽다. 뒤집어 생각하면 부러움은 자기 자신이 무엇을 진정으로 원하는지 알려준다.

그렇다면 우리는 친구의 성공을 얼마나 순수하게 축하할 수 있을까? 최선을 다해서 원하던 바를 이루어낸 친구를 보면서 일종의 자부심마저 느껴질 때가 있는 반면, 또 어떤 날은 나만 뒤처지고 있는 것 같아 왠지 불안한 기분이 들기도 한다. 친구의 힘들고 괴로운 일에 함께 슬퍼하고 위로하는 것보다는 친구의 성공에 진심으로 함께 기뻐하기가 더 어렵다.

인간은 사회적인 동물이기에 집단 내에서 다른 사람들과 비교한 상대적인 나의 위치에 민감하다. 일찍이 기원전 4세기 철학자 아리스토텔레스가 "타인의 행운은 고통"이라고 말한 것도 이 때문이다. 우리 조상들은 특히나 가까운 사람들과의 관계에서 비교병이 심해진다는 걸 알아채고 사촌이 땅을 사면 배가 아프다고 했다. 이쯤 되면 부러움은 스스로 더 분발해야겠다는 동기를 넘어 시기와 질투로 흐른다. 시어도어 루스벨트의 말대로 비교는 마음의 평안과 즐거움, 기쁨을 훔쳐가는 도둑이 된다.

이런 요상한 마음은 우리 마음속에 있는 '평등주의자'를 불러온다. 전통 수렵 사회 부족들은 열렬한 평등주의자들로 유명한데, 이들에게는 평등한 관계를 유지하기 위한 매우 정교하고 적극적인 행위 양식들이 다수 있다. 아프리카 코이산족과 함께 지내면서 현장 연구를 수행했던 인류학자의 재미있는 일화가 있다. 이들은 서로 돌아가면서 자신의 소를 잡아 대접하는데 대접 받는 사람들은 한결같이 주인이 잡은 소가 형편없이 작다느니, 병이 든 것 같다느니 하면서 깎아내린다. 우리 생각에는, 대접 받는 입장에서 베푸는 사람에게 타박이라니 예의가 형편없는 걸로 보인다. 하지만 코이산족 사람들은 친한 사이에서도 관계의 균형이 깨지는 것을 꺼리며, 누군가 한 사람이 관계의 우위를 점하고 그로 인해 교만해지지 않도록, 또 그래서 겸손함을 잊지 않도록 경계한다.

인류의 선조들 역시 이렇게 정교한 행동 양식을 통해 상호협력적 관계망을 발전시킬 수 있었을 것이다. 하지만 정착과 농경, 사유재산 축적과 함께 더 이상 평등한 관계만을 추구할 수 없게 되었다. 누군가 앞서 나가고 불평등한 관계에 놓이더라도 더 이상 이를 막을 수는 없다. 하지만 우리 마음속의 오래된 평등주의자는 누군가 앞으로 나갈 때마다 몹시 불편함을 느끼는 것 같다. 그렇다고 오늘날 우리가 코이산족처럼 겸손의 미덕을 잊지 않게 해주겠다며 친구를 깎아내렸다가는 평등한 관계는커녕 친구만 잃을 뿐이다.

아무튼 나보다 더 앞서가는 것 같은 친구에게 부러움과 질투심을 느끼지 않기란 정말 어렵다. 이에 대처하는 이상적인 방법은 슬그머니 올라오는 부러움이 지나쳐 시기심으로까지 변질되지 않도록 하는 것이고, 이런 감정들을 '나도 더 분발해야지' 하는 성장 동력으로 삼는 것이다.

친구에게 부러운 마음이 들 때는 애써 감정을 부정하거나, 나는 왜 이렇게 속이 좁은가, 나는 진정한 친구가 못 되는 걸까 자책하기보다는 잠깐 멈추고 그 감정을 그대로 인정하고 받아들이자. 부러움을 느끼는 대상이 성취 가능한 것이라면, 이를 이루기 위해 노력하면 된다. 하지만 동시에 세상 모든 것을 다 가질 수는 없으니, 내가 할 수 없는 것이라면 이를 과감히 인정할 줄 아는 자세도 필요하다. 그러면 친구와의 우정도, 나 자신도 한 계단 더 성숙해질 수 있을 것이다.

우정을 유지하려면
무엇을 해야 할까?

"누군가와 우리가
영적으로 가까운 사이라는 것을
깨닫는다면, 지구가
사람 냄새 나는 정원처럼
느껴질 것이다."

_요한 볼프강 폰 괴테

한때 '우리 우정 영원히~'를 맹세했던 친구들과 점점 소원해지거나 인연이 끊어진 적이 있다면, 우정은 평생 지속되는 것이 아니라는 말에 공감이 갈 것이다. 학창 시절에는 모든 것이 똑같았던 친구들이 20대와 30대를 지나면서 각자의 길을 걷는다. 다른 직업을 갖고, 누군가는 결혼하고 누군가는 결혼하지 않고, 또 누군가는 아이를 낳고…, 그러면서 자연스럽게 어떤 친구와는 관계가 유지되고 또 다른 친구와는 관계가 끊어진다.

우정 역시 다른 관계들과 마찬가지로 계속 변한다. 사랑만 움직이는 게 아니라 우정도 움직이는 거다. 그리고 우정을 유지하기 위해서는 사랑과 마찬가지로 노력이 필요하다. 심리학자들은 이를 두고 '관계유지행동'이라고 부른다. 여기에는 빈번한 상호작용, 함께 여가 활동하기, 의견을 맞추기 위해 양보하기, 함께 보낸 시간 회상하기 등이 있다. 아무래도 이러한 일에 시간을 많이 쓰지 못하면 우정도 예전 같지 않을 수 있다.

사실 원숭이들도 친구가 있다. 원숭이 친구라고 얕잡아 보거나 무시할 일이 아니다. 원숭이들의 친구 관계는 인간과 비슷한 면이 너무나 많다. 앞서도 언급한 적이 있지만, 인간을 제외한 다른 영장류들에게 '털 고르기'는 매우 중요한 관계유지행동이다. 원숭이들은 털 골라주기를 통해 집단의 결속을 유지하고 동맹을 지키며, 틀어진 관계를 다시 회복한다. 서로 나란히 앉아서 도란도란 정답게 털을 골라주는 동안, 해충도 잡고 간지러운 부위나 상처 난 부위를 핥으며 실질적인 도움을 주기도 하지만, 그보다 더 중요한 것은 내가 너와 함께 있다는 메시지를 전달하는 것이다.

개코원숭이들을 대상으로 한 실험에서, 바로 전에 털을 골라준 친구 원숭이가 도움을 청하면, 어미나 형제 등 혈연관계인 원숭이가 도움을 청했을 때보다 더 잘 도와주었다고 한다. 원숭이들도 오는 게 있으면 가는 것도 있어야 친구 관계가 유지된다는 것을 알고 있는 듯하다. 심지어 가족 간에는 가끔 서운한 일이 있어도 별 문제가 없지만, 친구지간에는 관계를 유지하기 위해 더욱 노력을 기울여야 한다는 것도 아는 것 같다.

그러면 털 없는 인간은 무엇으로 우정을 돈독히 할까? 많은 학자들은 인간 사회 집단이 대규모로 확장될 수 있었던 까닭은 오랜 시간과 노력이 필요한 털 고르기 대신 언어를 이용해 관계를 맺을 수 있게 되었기 때문이라고 추측한다.

많은 연구들에서 사람들은 대화를 나눈 지 얼마 지나지 않은 친구일수록 정서적 친밀감이 높다고 대답했다. 직접 만났던, 전화나 문자, 이메일로 연락을 주고받았던, 아무튼 최근에 연락한 친구일수록 더 가까운 친구로 평가한다는 것이다. 특히 이러한 '마지막 접촉 시간 효과'는 가족이나 친척지간보다 친구지간에 더 크게 나타났다. 원숭이들의 털 골라주기와 인간의 대화는 정말 비슷한 역할을 하는지도 모르겠다. 따뜻한 체온을 맞대고 도란도란 털을 골라주며 우정을 키우는 원숭이들이 오히려 더 인간미 넘치는 것 같기도 하지만, 그래도 털 고르기 대신 대화로 우정을 키울 수 있게 된 것은 우리 조상님들뿐만 아니라 바쁜 현대인들에게는 더욱 다행한 일이다.

나이에 따라 친구들과 보내는 시간이 줄어들다 보니, 그 시간을 어떻게 보내는지도 확실히 달라진다. 예전처럼 자주 만나고, 전화통을 붙잡고 수다를 떨고, 하루 종일 명동을 쏘다니며 시간을 보내지는 못하지만, 지금은 가끔씩 볼 때마다 쉽게 꺼내기 어려운 마음속 얘기들을 털어놓으며 서로를 위로하고 다독여 준다. 표면적인 관계는 변했지만 우정의 깊은 구조 속에 있는 관계는 여전하다. 잘 있냐는 짧은 전화 한 통, 카톡 문자 하나라도 오래된 우정을 단단히 하는 데 도움이 된다.

하지만 숨 돌릴 틈 없는 마흔의 삶에서 우정을 유지하기 위해 무엇보다 필요한 것은 우정을 기다려줄 수 있는 마음의 여유이다. 어린 시절에는 무릇 친구, 특히 베스트 프렌즈라 함은 모든 것을 함께하는 친구라고 생각했다. 그러나 나이가 들어갈수록 좋은 친구란 서로의 삶의 단계를 이해해 주고, 잠시 마음의 여유가 없는 시기를 묵묵히 기다려 줄 수 있는 친구가 아닐까 싶다. 괴테가 말하고자 하는 것도 이런 친구가 아닐까? "산, 강 혹은 도시만 떠올린다면 이 세상은 너무 공허할 것이다. 비록 서로 멀리 떨어져 있을지라도 여기저기서 우리와 함께 생각하고 느끼는 그 누군가와 우리가 영적으로 가까운 사이라는 것을 깨닫는다면, 지구가 사람 냄새 나는 정원처럼 느껴질 것이다."

친구는 행복, 그리고 감기 바이러스를 전한다

“좋은 관계를 유지하려면,

나 자신을 소중히 여기며

행복을 누리는 자유와

상대방이 행복해지도록 돕는 책임이

모두 중요하다.”

_스펜서 존슨

한 번은 너무 속상한 일이 생겨서 친한 친구에게 무작정 전화를 했다. 누구한테라도 하소연하고 위로 받으면 기분이 좀 나아질 것 같았다. 하지만 한창 바쁜 업무 시간에 전화를 해서인지 친구는 전화를 받지 못했다. 하는 수 없이 밖으로 나가서 그냥 무작정 길을 걸었다. 한참 걷고 나니 다리가 아프면서 속상했던 기분은 좀 가라앉았다. 그리고 생각이 들었다. 친구가 전화를 못 받아서 다행이라고.

우리는 가끔 친한 친구들을 내 맘을 알아주는 유일한 사람이라는 명목으로 부정적인 감정의 하수구로 이용할 때가 있다. 친구의 공감과 위로는 내 마음을 치유해 주지만, 사실 친구는 나 때문에 부정적인 정서를 함께 경험하는 셈이다. 내 맘을 홀가분하게 하기 위해 부정적인 이야기를 늘어놓지만 이를 들어주는 친구의 기분이 좋을 리 없다. 친구가 나의 행복에 중요한 것처럼 나도 친구의 행복에 영향을 미친다. 미국의 작가 스펜서 존슨은 친구와의 관계에서 '나의 행복' 못지않게 '상대방의 행복'을 강조했다. 내가 누리는 행복의 자유뿐만 아니라 상대방이 행복해지도록 돕는 책임 역시 중요하다는 것이다. 일리 있는 말이다.

친구와 행복에 대한 가장 유명한 연구 중 하나는 하버드 의대의 프레이밍햄 심장 연구다. 이 연구는 미국 메사추세츠 주의 프레이밍햄이라는 마을의 주민들을 코호트로 추적 관찰하는 프로젝트인데, 1948년부터 지금까지 3대에 걸쳐 진행되고 있다. 원래는 고혈압이나 동맥경화 등의 심혈관 질환의 종단적 역학조사를 위해 시작된 연구였지만, 주민들의 정신 건강과 관련해 외로움이나 행복감과 관련된 질문 문항들도 추가적으로 수집하면서 사회적 네트워크와 행복의 관계에 대한 연구가 가능해졌다.

제임스 파울러와 니콜라스 크리스태키스는 프레이밍햄 마을 주민들의 가족, 친구, 동료 네트워크와 주민들의 행복감 데이터를 분석한 결과, 행복한 사람들은 비슷한 정도로 행복한 사람들과 네트워크를 형성하고 있다는 사실을 발견했다. 예를 들어 나와 직접적인 유대 관계를 맺고 있는 친구가 행복하면 나도 행복할 가능성이 15% 더 높다. 그리고 친구의 친구가 행복하면 내가 행복할 가능성은 약 10% 정도 더 높아진다. 친구의 친구의 친구가 행복할 때도 내가 행복할 가능성이 5% 정도 더 높아진다. 그 이상 넘어가면 더 이상 행복의 상관성이 발견되지 않았다.

이 연구는 《행복은 전염된다》는 책으로 우리나라에도 소개된 적이 있다. 이 외에도 많은 심리학 연구들이 친구들 간에 행복 지수가 비슷하다는 결과를 보고하거나, 심지어 친구의 친구의 행복조차 나의 행복 지수와 긍정적인 상관관계가 있다는 것을 보여준다. 그런 연구 결과들은 종종

"행복은 전염된다!", "친구의 행복은 곧 당신의 행복!"이라는 식으로 해석되기도 하는데, 나는 과연 그런가 하는 의심이 든다. 상관관계가 곧 인과관계는 아니기 때문이다. 친구의 행복이 우리를 행복에 전염시킨 것이 아니라 그저 나와 비슷한 수준으로 행복한 사람이 내 친구가 되기 쉬었던 것은 아니었을까?

친구들은 서로 닮은 경우가 많다. 연인들 간에는 서로 닮은 사람을 사랑하는 경향이 있는지, 반대로 나와 다른 상대에게 더 매력을 느끼는 것인지에 대해 이런저런 반론들이 존재하지만, 서로 비슷한 사람들끼리 친구가 되기 쉽다는 데는 이견이 거의 없다. 친구들은 성격뿐만 아니라 연령, 교육 수준, 인종, 종교, 태도 및 일반적인 지능과 같은 다양한 특성에서 유사한 경향이 있다. 심지어 친구 간에는 일부 유전자까지 유사하다는 주장도 있다.

그런데 프레이밍햄 연구의 특별한 점은 장기적인 추적 조사를 통해서 이전에 유대 관계를 맺고 있던 친구가 더 행복해지는 경우 나도 더 행복해지는 것을 확인할 수 있었다는 점이다. 기존에 유대 관계가 있던 친구가 행복해지면 그들과 연결되어 있는 사람들도 전보다 더 행복하다고 보고할 가능성이 높아진 것이다. 그리고 행복한 친구가 1.6킬로미터 이내의 가까운 거리에 살고 있을수록 그 영향은 더 강력했다. 행복한 친구의 존재보다 더 중요한 것은 행복한 친구와의 긍정적인 상호작용을 자주 경험하는 것이다. 여기에는 유유상종 경향성 이외에 정서적 동화의 가능성도 분명 있다.

친구가 전해주는 확실한 인과관계는 바로 감기 바이러스다. 하버드 대학생들을 친구가 많은 학생과 평범한 학생, 두 그룹으로 나누어 추적조사를 한 결과 친구가 많은 학생들이 계절성 독감에 훨씬 더 빨리 감염되는 것을 확인했다고 한다.

행복한 친구가 정말 감기처럼 행복도 전염시키는 것인지는 잘 모르겠지만, 좋은 친구 관계는 분명 행복감을 높인다. 예전보다 우정의 네트워크가 작아지는 것은 어쩔 수 없는 일이긴 하지만, 좋은 친구들이 자꾸 멀어지는 것 같고, 내 주변에 친구가 아무도 남지 않은 것 같다면 한 번쯤 나를 되돌아보는 시간도 필요하다. 나는 친구들에게 행복을 주는 친구인가? 아니면 감기 바이러스만 주는 친구인가?

혹시 내 마음을 터놓을 수 있는 오랜 친구라는 명목하에 만나면 항상 일상생활에서의 불만과 다른 사람에 대한 원망만 늘어놓는 건 아닌지 찬찬히 생각해 보자. 친구에게 부정적인 감정들을 털어놓는 것은 내 갑갑한 마음을 풀어내는 데는 도움이 되지만, 사실 듣고 있는 친구 입장에서는 나를 만나서 부정적인 에너지만 받아가는 셈이다. 가끔 정말 친구에게 털어놓고 위로를 받고 싶은 일들도 있다. 하지만 매번 만날 때마다 누군가 일방적으로 긍정적 에너지를 나눠줘야 하거나, 둘 다 부정적인 에너지를 내뿜으며 신세한탄만 늘어놓는 관계는 건강한 관계가 아니다.

친구들의 행복이 나로 인해 영향을 받을 수 있다는 사실은 우정의 관계도 한층 더 성숙해져야 한다는 걸 의미한다. 행복한 친구와 긍정적 상호작용을 원한다면 내가 먼저 친구에게 긍정적 에너지를 전해주자. 내가 친구를 행복하게 하면 행복한 친구가 다시 나에게 행복을 전해주고, 그리고 그렇게 계속 될 것이다.

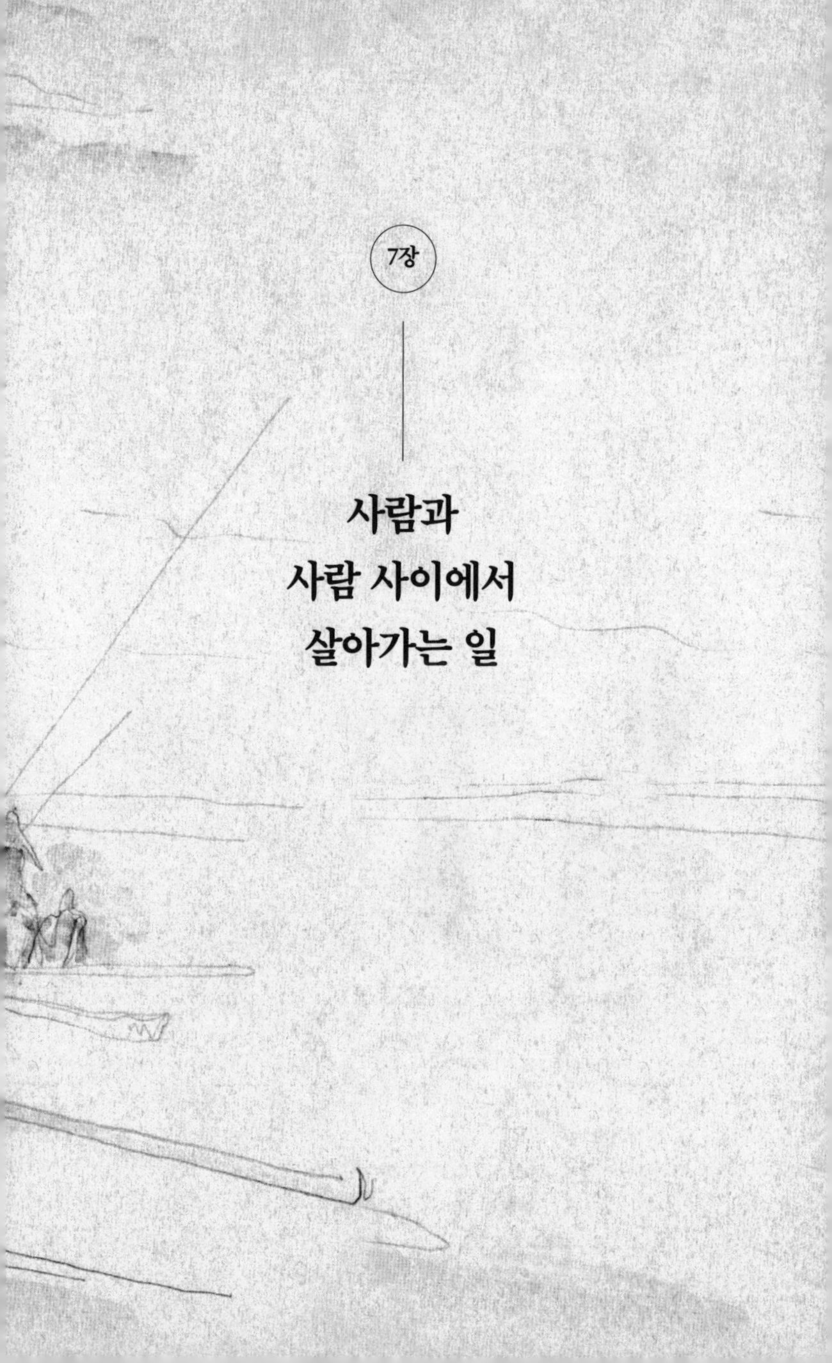

7장

사람과
사람 사이에서
살아가는 일

관대함은 ‘합리적인 것’보다 나은 선택이다

"관계를 지속시키는 유일한 방법은,
관계를 무언가를 얻는 일이 아니라
무언가를 주는 일로 바라보는 것이다."

_토니 로빈스

시부모님을 모시고 밖에서 식사를 할 일이 있어서 그 근처 직장에 다니는 친구에게 SOS를 청했다. "너희 회사 근처에 맛 깔끔하고, 분위기 조용하고, 가격 적당한 식당 있을까?" 톡을 보내기가 무섭게 서너 군데 맛집을 줄줄 꼽아서 답장해 주는 친구에게 바쁠 텐데 너무 고맙다고 답장을 했다. 그날 저녁, 친구에게 전화를 했다. 좋은 식당을 추천해 줘서 고맙다는 내 말에 친구는 되려 "아니야, 니 덕분에 오늘의 1일 1도움 달성했어" 하며 웃는다. 뭐야, 1일 1도움이 뭔데?! 내가 묻자 친구는 요즘 자기 삶의 모토를 하루에 한 번 이상 도움 주기, 즉 1일 1도움으로 정했단다. 그러면서 얘기해 준 사연인즉 이랬다.

직장생활 연차가 쌓이고 경험이 쌓이니, 다른 사람들이 이것저것 물어보거나 업무적으로 부탁받는 경우가 점점 늘어났다. 자기도 할 일이 많고 한창 바쁜데 중간에 사람들이 "이 과장, 이건 뭐야?", "과장님, 이것 좀 부탁드려요", "과장님, 이럴 때 어떻게 하는 게 맞아요?" 이러니까 짜증이 점점 늘어났다고. 그러다 어느 날 터지고 말았다. 부장님이 자리로 찾아와 "이건 뭐지?" 하고 물어보는데, 자기도 모르게 인상을 있는 대로 구기고 고개도 돌리지 않은 채로 "글쎄요" 하고 말았다는 것. 순간 사무실에는 정적이 흘렀고, 친구는 그 다음날 부장님께 별다방 커피를 바치며 요즘 정신이 너무 없어서 그랬다는 둥 머리를 조아렸다고 한다. 그 이후로 친구는 어차피 도와줘야 된다면 마음을 바꾸기로 했다. 다른 사람을 도와주기로 목표를 정하고 나니, 누군가를 도울 때 목표를 달성했다는 생각이 들어 덜 짜증나고 가끔은 기분이 좋기도 하단다.

나는 다른 사람을 돕고 기분이 좋아졌다는 친구의 이 말이 전적으로 사실임을 믿어 의심치 않는다. 실제로 그렇기 때문이다.

심리학자들이 실험에 참여한 사람들에게 약간의 돈을 주고 이 돈을 자신을 위해 사용할지 아니면 다른 사람을 위해 쓸지 선택하도록 했다. 그리고 참여자들이 돈을 쓰고 난 뒤에 기분이 얼마나 좋은지 물어보았다. 그러자 똑같은 금액임에도 불구하고, 자기 자신을 위해 쓴 사람보다 다른 사람을 위해 쓴 사람들의 기분이 더 좋아진 것으로 나타났다.

사람들이 얼마나 이기적이고 위선적인데 말도 안 되는 결과라고 생각된다면, 지금 당장 어린 조카나 부모님을 위해 작은 선물을 사보자. 틀림없이 같은 돈으로 내가 쓸 뭔가를 살 때보다 기분이 더 좋아질 것이다.

심지어 사람들은 가족이나 친구처럼 가까운 사람들뿐만 아니라 생판 모르는 사람에게도 관대하게 행동하는 경향이 있다. 재미있는 실험이 하나 있다. 실험자가 실험에 참가한 이에게 익명의 누군가와 1000원을 나눠 갖되, 나누는 몫은 자기 마음대로 정하라고 했다. 그런데 실험에 참여한 꽤 많은 사람들이 익명의 상대방에게 절반 정도의 몫을 나누어 줬다. 뇌를 연구하는 과학자들은 FMRI 자기공명영상으로 뇌를 스캔해서, 너그러운 행동을 할 때 뇌 속의 도파민과 관련된 신경쾌락중추가 활발하게 반응하는 것을 확인하기도 했다.

사람들은 분명 이기적이기보다는 관대한 경향이 있다. 작은 규모의 전통적 수렵 채집 사회에서든 산업화된 대도시에서든, 전 세계 어디에서 실험하고 조사할 때도 마찬가지였다. 많은 인류학자, 심리학자, 경제학자들이 이제는 인간 행동이 협력적이고 심지어 (특히 다른 사람에게 자신의 행동이 알려지는 경우) 이타적으로 편향되어 있음에 동의한다. 그리고 이런 관대한 자질이 매우 오래전부터 인류의 선조들에게서부터 전해내려 온 자질이라고 말한다. 어떻게 이럴 수 있을까? 생존과 번식에 성공한 개체만이 존속할 수 있는 자연 선택의 힘 앞에서, 어떻게 관대하게 행동하는 인간이 진화할 수 있었을까?

인간의 친사회성을 연구하는 학자들은 관대한 성향이 '합리적인' 또는 '이기적인' 것보다 더 나은 선택이라는 것을 알고 있다. 그리고 인류라는 종이 홍적세의 변화무쌍한 기후변화 속에서 다른 호미닌 종이 모두 멸종하던 순간에 살아남을 수 있었던 이유를 관대한 행동을 통해 서로 의지할 수 있었던 관계에서 찾는다.

서로 알고 지내는 작은 친족 집단에서 사는 사람들은 아는 사람들과 계속 반복해서 만날 수밖에 없다. 이러한 관계에서 다른 사람에게 자발적으로 도움을 주면, 나중에 상대방에게 보답 받거나 집단 내 또 다른 사람들로부터 보상 받을 가능성이 높았다. 당연히 이런 사람들이 더 잘 생존하고 번식했을 것이다. 부와 성공 법칙으로 유명한 작가 토니 로빈스가 관계를 '받는 일'이 아니라 '주는 일'로 정의한 데에는 이런 상호 호혜성의 법칙을 염두에 둔 것이다.

지금 우리는 더 이상 가까운 우물이 말라버리거나 혹독한 추위에 먹을거리가 없어질 때, 또는 사나운 맹수의 공격을 받을 때 다른 사람들의 도움에 의존할 필요가 없다. 하지만 여전히 우리 몸에는 다른 사람에게 관대한 행동을 할 때 기분이 좋아지는 생리 기전이 남아있다.

어렸을 때는 쑥스러워서 누군가에게 먼저 손 내밀지 못했던 적도 많다. 하지만 나이를 먹은 지금 가장 잘 할 수 있는 일은 다른 사람에게 먼저 손 내밀 수 있는 아량을 갖추는 것이 아닐까 싶다.

팃포탯에게 배우는
평판 관리의 기술

“팃포탯 전략이

가장 성공적이었던 이유는

친절하고, 받은 대로 되갚으며,

용서하는 전략이 상대방에게

분명히 전달되기 때문이다.”

_로버트 액셀로드

너그럽고 호의적인 마음은 도덕적으로 칭송받아 마땅하다. 하지만 나이가 들수록 점점 각박해지는 삶 속에서 먼저 호의의 손을 내미는 도덕적인 마음이 과연 도움이 될지 때론 의심스럽기도 하다. 심지어 대부분의 자기계발서에는 (남보다) 일찍 일어나 먼저 벌레를 잡는 자가 승리한다는, 암튼 자기 자신의 경쟁력을 높이기 위해 모든 노력을 아낌없이 쏟으라는 조언이 넘쳐난다. 만인이 만인을 상대로 투쟁하는 홉스적인 삶에 대해서만 배워온 우리들은 타인에게, 특히 나와 가깝거나 친밀하지도 않은 사람에게 호의를 베풀어도 되는지 의문이 생긴다.

이와 관련해서 재미있는 사례가 하나 있다. 피도 눈물도 없는 냉정한 컴퓨터 시뮬레이션 게임에서 당당하게 우승컵을 손에 쥔 '팃포탯(Tit for tat, 눈에는 눈 이에는 이)' 전략이 그것이다.

1980년에 경제학자 로버트 엑셀로드는 협력을 연구하는 전 세계의 연구자들에게 협력 토너먼트 대회 초대장을 보냈다. 대회 규칙은 대략 이렇다. 경기에 참여한 팀들은 1대 1로 매칭되는 컴퓨터 시뮬레이션 게임을 200회 동안 반복해서 하게 되는데, 양쪽 팀은 매게임마다 협력을 할지 배신을 할지 선택을 할 수 있다.

이때 양쪽 팀이 모두 협력을 한다면 각자 5점을 얻지

만, 상대방이 협력할 때 자신은 배신하면 10점을 얻는다. 만약 둘 다 배신하면 각자 1점을 얻는다. 이렇게 해서 마지막에 얻은 점수를 합산하고 가장 높은 점수를 얻는 팀이 대회 우승자가 된다.

이 대회에 참가한 팀들은 협력을 할지 배신을 할지 결정하기 위해 다양한 전략을 세웠다. 어떤 팀들은 처음부터 끝까지 무조건 배신하거나 무조건 협력하는 단순한 전략으로 대응했고, 어떤 팀들은 자신들이 고안한 복잡한 규칙에 맞춰 대응하기도 했다.

그런데 게임의 승자는 라포포트가 출전시킨 '팃포탯'에게 돌아갔다. 팃포탯은 상대적으로 매우 단순한 전략이었는데, 항상 첫 게임에서는 협력을 선택하고, 그 이후로는 이전 게임에서 상대방이 한 대로 똑같이 되갚는 전략이었다. 이전 게임에서 상대방이 같이 협력했다면 팃포탯은 다시 협력을 선택한다. 반면 이전 게임에서 배신했다면, 이번에는 팃포탯도 배신한다. 그리고 만약 상대방이 다시 협력한다면 다음 게임에서는 팃포탯도 다시 협력을 선택한다. 그래서 이름도 팃포탯(Tit for tat)이다.

그렇지만 팃포탯 전략적 승리의 더 중요한 요인은 이러한 되갚기가 아니라, 첫 게임에서는 항상 협력한다는 점이다. 이기적인 배신자 전략이 아니라 먼저 배신하지 않고 협력하는 팃포탯이 대회에서 우승했다는 소식은 협력의 진화를 연구하는 학자들에게 고무적이었다. 엑셀로드는 단순한 팃포탯 전략이 전체 토너먼트에서 승리할 수 있었던 이유에 대해, 팃포탯의 행동적 명료함을 상대방이 이해하기 쉬웠기 때문이라고 분석했다. '나는 협력적인 사람이지만, 나를 배신하면 보복한다'는 팃포탯의 전략은 상대방이 파악하기 쉽고, 또 그런 팃포탯과 계속 상호작용하면서 높은 점수를 얻으려면 상대방 역시 협력하는 것이 가장 나은 전략이라는 점을 인식시킬 수 있었다는 것이다. 즉 팃포탯이 챔피언이 된 이유는 상대방을 무찔러서가 아니라, 함께 좋은 점수를 얻을 수 있는 행동을 상대방으로부터 이끌어 냈기 때문이다.

우리의 삶도 크게 다르지 않다. 혼자 할 수 있는 일은 아무것도 없거나 매우 적다. 먼저 호의를 베푸는 것은 사실 상대방에게 나의 호혜성을 알려 상대방으로부터 협력을 이끌어 낼 수 있는 가장 좋은 방법이다. 그리고 정말 다행스럽게도 많은 연구들이 대부분의 사람들은 호의든 배신이든 되갚고자 하는 상호 호혜주의, 즉 팃포탯 정신을 가지고 있다는 것을 보여주고 있다. 내가 먼저 호의를 베풀면 대부분의 사람들은 호의를 되돌려 준다.

인생이라는 게임에서 팃포탯 전략을 참고한다면, 분

명 이따금씩 배신자를 만나 한 번 정도 점수를 잃을 수 있다. 하지만 다른 대부분의 협력자들과의 경기에서는 좋은 점수를 얻을 수 있다. 사실 팃포탯은 각각의 대전에서 상대방보다 더 높은 점수를 얻은 적이 단 한 번도 없다. 그 자체가 불가능하다. 배신을 해야 상대방보다 더 높은 점수를 획득하고 함께 협력할 경우에는 동일한 점수를 얻는 게임 구조에서, 상대방보다 더 많이 배신하지 않는 전략이기 때문이다. 따라서 팃포탯의 점수는 항상 대전 상대와 같거나 상대방보다 약간 적을 수밖에 없다. 그럼에도 분명, 팃포탯은 전체 경기에서는 우승자가 되었다. 우리네 인생도 크게 다르지 않을 것이다.

나는 네가

다른 사람에게 한 일을

알고 있다

“인간에게 평판은
전 세계 공용 통화다.”

_만프레드 밀린스키

친구가 얼마 전에 오랫동안 다니던 회사를 그만두고 새로운 회사로 이직을 했다. 40대의 이직 경험에서 가장 새로웠던 경험은 바로 평판 조회다. 신입 사원으로 들어갈 때와는 다르게, 경력직 채용의 마지막 단계는 대부분 최종 면접 이후에 이루어지는 평판 조회가 추가된다. 친구는 사실 생각도 못하고 있었는데, 같은 사무실에 있던 전 직장 동료가 슬쩍 알려 주더란다.

"사실 어제 오후에 ○○은행에서 박 과장님이 같이 일하는 동료로 어떤지 전화가 왔었어요. 제가 완전 좋은 분이라고 엄청 잘 말해드렸어요. 밥 한 번 사세요~."

"너무 고맙습니다! 뭐 먹고 싶으세요? 말만 하세요 제가 다 쏩니다!"

전 동료는 농담이라며 사양했지만, 친구는 너무 고마워서 카톡 선물을 보냈다. 그리고 뒤돌아 가슴을 쓸어내렸다고 한다. 아니, 진짜 그동안 잘 지냈던 동료니까 망정이지, 하루가 멀다 하고 들이박던 상사였으면 어쩔 뻔했나. 이직 못 할 뻔했다. 이번 일을 계기로 사람 일 모르는 거라고 앞으로 좀 더 둥글게 살아야겠다고 결심했단다.

프리랜서로 일할 때도 항상 평판 조회를 접한다. 프리랜서로 일하려면 직장 생활할 때보다 평판이 더 중요하다. 팀으로 하는 연구 프로젝트에서 연구원을 뽑을 때는 매번 평판 조회가 기본이다. ○○○연구원 어때요? "그분은 좀… 잠수를 잘 타요", "원만하게 지내기가 어려워요." "그분 정말 매너있고 젠틀해요!" 등등 다양한 평판을 접하게 된다. 프리랜서라도 어차피 누군가와는 같이 일하는 것인데 평판이 한 번 나빠지면 일자리 얻기도 어렵다.

인류학자들이 전통적인 수렵 채집 사회와 서구 산업사회에서 연구한 결론도 거의 비슷하다. 아프리카 탄자니아의 하드자 수렵 채집 사회에서는 사냥의 노획물을 잘 배분하는 사냥꾼이 공동체 내에서 협동 파트너로 선호된다. 오스트레일리아 원주민인 마르투 부족에서는 사냥꾼들의 협력적 평판에 따라 사냥 네트워크의 중심에 속한다. 미국 대학생들도 심리학 실험실에서 낯선 사람들과 함께 게임을 할 때 더 이타적이고 협력적으로 행동한 사람과 다음 협력 게임에서 파트너가 되길 원한다.

인류는 항상 주변에 있는 사람들과의 협력을 통해 생존해 왔다. 하지만 모든 사람이 항상 협력적이고 호혜적인 것은 아니다. 언제나 다른 사람들의 호의에 무임승차해 편의를 취하고자 하는 사람도 나타나기 마련이다. 그래서 무의식적으로, 또는 의식적으로, 첫 인상의 찰나, 또는 매 순간 우리는 타인의 신뢰도와 사기꾼 기질을 파악한다.

인간이 언어를 이용하면서 평판의 중요성은 기하급수적

으로 증가했다. 언어의 진화가 다른 사람에 대한 뒷담화, 즉 가십과 관련이 있을 것이란 추측이 나올 정도다. 어떤 연구자는 단골 커피숍에서 사람들이 하는 이야기의 절반 이상이 그 자리에 없는 제3자에 대한 뒷담화라는 사실에 영감을 얻어 언어가 뒷담화를 위해 진화했을 것이라고 주장하기도 했다.

인간은 다른 사람의 평판에 주의를 기울이고, 내 평판이 떨어지지 않게 조심한다. 평판은 인간만의 것이다. 다른 동물들에게는 평판이 없다. 평판은 언어를 통해 전달되기 때문이다. 나의 (잘못된 또는 좋은) 행동이 상대방 또는 그 자리에 있던 관찰자들을 넘어서 순식간에 집단 전체에 알려지고, 집단의 모든 사람들에게 나에 대한 평가, 즉 나의 평판에 영향을 미칠 수 있게 되었다. 누군가의 평판은 항상 알려지고, 사기꾼은 결국 대가를 치르게 된다. 언어와 함께 극단적으로 평판에 민감한 동물이 탄생한 것이다.

여러 수렵 채집 사회에 대한 인류학자들의 기록에 따르면 평판은 생명과 직결될 정도였다. 이런 사회에서 평판이 나쁜 사람은 집단에서 추방되거나 심지어 살해되기도 했다니, 선조들의 삶에서 실제로 평판은 죽느냐 사느냐를 가르는 문제였을 것이다.

오늘날은 평판이 떨어져서 진짜 죽을 일은 없겠지만, 진화생물학자 만프레드 밀린스키의 말처럼 여전히 인간에게 평판은 "전 세계 공용 통화"다. 사바나의 평야를 벗어나 빌딩 숲 속에 사는 우리에게도 여전히 함께 협력할 만한 사람들을 선별해 내는 것은 삶의 중요한 과제다. 우리는 다른 사람의 평판을 추적하고, 나의 평판에 영향을 미치는 작은 단서에도 민감한 마음을 선조들로부터 물려받았다.

내가 다른 사람에게 한 일을 또 다른 사람들도 다 알게 된다는 건 좀 섬뜩하기도 하지만, 나 역시 다른 사람들이 또 다른 사람에게 한 일을 알 수 있다는 건 마음이 놓이는 부분이다. 언어를 이용한 평판 조회가 가능한 덕분에 인류 사회가 지금처럼 확장되고 발전할 수 있었다고 하니, 평판 추적자이자 평판 관리자의 후예인 우리들은 충분히 자긍심을 가져도 될 것이다.

명품 백과

수입 승용차,

강남 아파트

"협력은 배우자, 친구,
집단 구성원으로서의 자질에 대한
값비싼 신호다."

_허버트 긴티스

"가방은 여자들의 갑옷이요, 무기요, 깃발이요, 그 이상이었다."

맨해튼에서도 최고 부촌 파크애비뉴 여성들의 삶을 사회생물학적 관점으로 서술한 《파크애비뉴의 영장류들》에 나오는 구절이다. 인류학을 전공한 저자(이자 주인공)는 맨해튼 다운타운에 살다가 아이를 키우기 더 나은 환경을 찾아 부촌 파크애비뉴로 이사를 한다. 책은 그때 겪은 상류층 여성들의 텃세와 치열한 서열 경쟁 등을 다른 영장류 사회와 비교하며 쓴 이야기다.

그 안에는 명품에 크게 관심 없던 저자가 길거리에서 몇 번이나 초고가 명품 라인의 백을 든 여성들에게 기선 제압을 당하면서, 자신 역시 최고급 명품 가방을 소망하게 되는 에피소드가 나온다. 특히 고가의 구하기 어려운 희소한 라인의 명품 가방으로 마흔 후의 상실감을 채우려 했다는 저자의 고백은 유별나게 들리지 않는다. 유한하고 희소한 젊음을 잃은 대신 비싸고 희소한 무언가를 통해 자신이 여전히 가치 있는 사람임을 증명하고 싶은 마음은 동서고금의 인간 사회에서 항상 존재해 왔다. 다만 먼 옛날에는 그 무언가가 명품 백, 고급 시계, 독일산 스포츠카, 강남 아파트 대신 조개 장식, 보석, 화려한 마차였을 뿐이다.

명품 가방이 단지 돈 낭비라고 생각하는 사람은 절반

만 알고 나머지 절반은 모르는 사람이다. 가방이 그 주인의 정체성을 대변한다고 믿는 사회에서는 고가의 희소한 명품 가방은 매우 이기적이면서 매우 효과적인 아이템이다. 누군가 그런 사회 또는 집단에 속해 있다면, 명품 가방에 대한 집착은 전혀 쓸데없는 짓이 아니다. 이는 뉴욕 맨해튼 부촌 어린이집에서나 서울에 있는 초등학교 학부모 회의에서나 고층 빌딩 속 회사 사무실에서나 별반 다를 바 없다.

경제학자 베블런은 일부 사치재의 가격이 비쌀수록 수요가 높아지는 현상을 지적하면서 이를 사회적 지위를 과시하기 위한 "자각 없는" 행위라고 혹평했지만, 진화생물학자 자하비는 비싼 신호 이론을 통해 쓸모없어 보이는 공작새의 꼬리나, 인간의 값비싼 사치재가 자각 없는 행위가 아니라 효과적인 전략이 될 수 있다는 가설을 세웠다.

수컷 공작새의 화려한 꼬리는 수컷이 살아가는 데 전혀 도움이 되지 않고 오히려 부담만 된다. 길고 화려한 꼬리를 기르고 유지하기 위해 추가로 신진대사적 에너지가 소비될 뿐만 아니라 포식자 맹수들에게서 도망갈 때도 방해가 되기 때문이다. 수수께끼 같은 공작의 꼬리에 대해 자하비는 수컷 공작새가 암컷에게 보내는 비싼 신호라고 주장했다. 암컷 앞에서 거대한 꼬리를 부채처럼 펼치고 과시하는 수컷은 "나는 이렇게 화려하고 거추장스러운 꼬리를 가지고도 지금까지 생존할 수 있는 강건한 수컷이다"라는 신호를 보내는 것이다. 그 후 많은 연구들에서 실제로 수컷의 꼬리가 화려할수록 생존율이 높고, 암컷들이 짝으로 선택할 가능성이 높으며, 심지어 이런 수컷의 새끼가 생존율이 높다는 사실을 발견했다.

인간의 과시적 소비도 마찬가지로 공작의 꼬리 같은 비싼 신호가 될 수 있다. 한 연구에서는 동일한 연기자에게 중저가 브랜드의 로고가 새겨진 티셔츠와 고가 브랜드의 티셔츠를 번갈아 가며 입게 하고, 길거리에서 낯선 사람들에게 부탁을 하도록 했다. 실험 결과 사람들은 연기자가 고가 브랜드를 입고 있을 때 부탁을 더 잘 들어주었다. 사람들이 어떤 의도나 감정으로 부탁을 들어준 것인지는 알 수 없지만, 아무튼 비싼 브랜드 로고가 프린트 된 티셔츠가 사람들에게 어떤 영향을 미치긴 하는 것 같다. 벨기에 여성들을 대상으로 한 설문조사에서, 참여자들은 사치품을 구매하는 여성이 그렇지 않은 여성보다 더 매력적이고 야심가이며 지위가 높다고 생각했다. 이러니 비싼 가방을 옆에 차고자 하는 마음을 이해하지 못할 것은 아니다.

샤넬 백을 사기 위해 백화점 개점 시간 전에 긴 줄을 서있는 사람들이 단지 호구라서 손바닥만한 가방을 수백만 원씩 주고 사는 것이 아니다. 그들이 속한 집단에서 그 가방이 비싼 신호로 받아들여지고 가방 주인에 대한 평가에 영향을 미칠 수 있다면, 가방은 제값을 한 것이다. 명품 브랜드들이 유독 우리나라에서 더 가격을 비싸게 받는다며 불매운동을 주장하기도 하는데 쉽지 않을 것 같다. 그만큼 우리나라에서 명품 백의 신호 효과가 더 강력하다는 반증이니 말이다.

하지만 비싼 신호의 기능을 하는 것은 물건만이 아니다. 어떤 행동이 흉내 내기 어려운 신호가 된다면 그 행동 역시 비싼 신호가 될 수 있다. 그런 면에서 협력적이고 이타적인 행동은 행위자의 비용이 들긴 하지만, 그 사람의 능력과 성품을 다른 사람들에게 효과적으로 드러낼 수 있는 비싼 신호가 된다. 실제로 많은 인류학자, 경제학자, 생물학자들은 연구를 통해 이타적인 나눔, 너그러운 용서, 협력적인 도움, 정의로운 처벌 모두 자신의 비용을 감수하면서 다른 사람들에게 이로운 행동이라는 점에서, 비싼 신호가 될 수 있다는 점을 밝혔다. 특히 경제학자이자 인류학자인 허버트 긴티스는 협력이 배우자, 친구, 집단 구성원으로서의 자질에 대한 값비싼 신호라고 했다. 그리고 관대함과 협력의 비싼 신호 효과 덕분에 인간 사회는 점점 더 큰 규모의 협력이 가능해졌다.

전통사회에서 사람들은 귀한 사냥감이나 농작물을 관

대하게 나눔으로써 스스로의 능력과 협력 파트너로서의 자질을 광고했고, 관대한 평판과 명성은 실제로 사회적 지위를 높이거나 더 넓은 사회적 관계망 속에서 중심적 위치를 점하게 했다.

특정 명품 매장 앞 오픈런에 대한 기사가 몇 번 회자되고 난 몇 주 뒤, 진짜 부자들은 더 이상 그 명품 브랜드를 선호하지 않는다는 내용의 또 다른 기사가 올라왔다. 이유는 더 이상 그 명품이 부자임을 효과적으로 드러내주지 못하기 때문이란다. 그리고 '진짜' 부자들의 세계에서 선호되는 '진짜' 명품에 대한 설명이 이어졌다. 그러고 보면 옛날에 또 다른 명품 브랜드가 한참 유행한 적이 있었는데, 그 브랜드의 가방(또는 모방 제품)을 하도 사람들이 많이 들고 다녀서 '3초 백'이라고 불릴 정도가 되니 인기가 수그러들었다. 그런가 하면 또 다른 사람들은 비싼 브랜드의 물건을 소유한 사람을 과시욕이 강하고 심지어 진정한 자존감이 낮은 사람으로 깎아내린다.

어떤 물건은 사회문화적 맥락에서 상징적 기호로서 신호 효과가 있다. 그리고 이에 대한 인간의 욕망에 대한 역사는 매우 길다. 하지만 물건이 보내는 신호는 수명이 짧고 그 효과도 애매하다. 명품 가방은 그것이 유행하는 동안 잠시 마주치는 사람들에게 보내는 비싼 신호가 될 수 있을지도 모른다. 하지만 관대하고 이타적인 행동은 인류가 지구상에 출현한 이후로 언제나 비싼 신호였고, 앞으로도 그럴 것이다.

좋은 평판을 넘어

더 좋은 평판을

"우리를 정말 힘들게 하는 것은
한 가지 큰일이 아니라,
남들을 실망시킬까 두려워
거절하지 못하는
수천 개의 작은 의무들이다."

_알랭 드 보통

하루는 초등학교에 다니는 딸이 돼지저금통 뚜껑을 열려고 끙끙거리는 걸 보았다. 요즘 돼지저금통은 입출금 통장처럼 꺼내 쓸 수 있게 되어있다. 그래도 나름 전통을 고려해 일부러 쉽게 열리지 않게 만든 것인지, 그저 불량품인지 모르겠지만, 암튼 잘 안 열리는 저금통을 붙잡고 씨름하고 있기에 왜 돈이 필요한지 물어보았다. 그랬더니 친구가 어제 용돈을 가져와서 편의점에서 아이스크림을 사주었는데, 오늘은 자기가 꼭 친구에게 맛있는 과자를 사주고 싶단다. 친구가 다음에는 네가 사라고 한 것도 아니고, 아이가 먼저 내일 내가 살 테니 오늘은 네가 좀 사라고 한 것도 아니다. 하지만 아이는 친구에게 호의를 받았으니 자기도 호의를 되갚아야 된다고 분명히 느끼고 있었다.

인간의 친사회성을 연구하는 사람으로서 아이 마음속 호혜주의 정신이 빛나고 있는 이 순간을 고장 난 돼지저금통 때문에 망칠 순 없었다. 그럼 용돈을 줄 테니 오늘은 네가 사렴, 하며 아이에게 오천 원을 쥐어 보냈다. 집에 돌아온 아이에게 친구랑 과자는 맛있게 먹었냐고 물었더니, 아이가 말하길 엄마가 용돈을 너무 조금 준 것 같단다. 친구는 오늘 용돈을 만 원이나 가져와서 계산할 때 자기보다 친구가 더 많이 냈다고 입을 삐죽인다.

하아… 이런…, 그럼 둘이서 편의점에서 만 오천 원어

치 간식을 사 먹은 거니? 갑자기 북아메리카 원주민들의 '포틀래치 의례'가 떠오른다.

선물의 경제로 유명한 프랑스 사회학자이자 인류학자인 마르셀 모스는 북아메리카 원주민들의 포틀래치 의례에 대해 자세히 기술한 바 있다. 자원이 풍부한 북미 북서해안을 따라 자리한 콰키우틀, 하이다, 딤시인 등의 부족 사람들은 정교한 포틀래치 의식을 통해 많은 소유물들을 나누고 심지어 파괴한다. 연회가 열렸을 때 연회의 주최자가 소유물을 나누는 것에 그치지 않고, 매우 값비싼 가죽이나 기름, 동판 등을 그냥 태워버리거나 파괴해 버리는 것이다. 가장 잘 알려진 콰키우틀 부족은 결혼, 사망, 동맹 같은 주요 행사가 있을 때마다 주기적으로 대규모 포틀래치를 벌이는데, 포틀래치 연회를 더 성대하게 치른, 즉 더 많은 기름과 가죽을 태워버린 추장은 경쟁자들을 압도하고 명성을 얻는다. 심지어 캐나다에서는 원주민들이 포틀래치에 너무 많은 재화를 낭비한다는 명목으로 한때 포틀래치 금지령을 내리기도 했다.

포틀래치는 아메리카 원주민어로 '대접하다', '베풀다'라는 뜻이다. 포틀래치가 원래부터 재물의 파괴를 목적으로 하는 의례는 아니었다. 원래는 주최자가 그동안 모은 음식과 재물 등을 참석자들에게 선물의 형식으로 나눠주면서, 한 사람이 너무 많은 재물을 소유하지 못하도록 집단 내 재화를 분배하는 기능을 가지고 있었다. 더불어 서로 다른 부족 간에 선물을 통한 호혜적 관계를 유지하기 위한 의례였다. 하지만 누가 또는 어느 부족이 가장 많이 '베풀기'를 하는지가 초점이 되면서 더 많은 재화를 의례에 쓰는 경쟁으로 변질됐다. 그러다 포틀래치에 더 많은 재화를 쓰기 위해 광적으로 물건을 태워버리거나 파괴하는 행위까지 나타나게 된 것이다.

이타적인 행동도 경쟁이 될 수 있다. 이를 '경쟁적 이타주의'라고 하는데 포틀래치는 좀 극단적인 사례이긴 하지만, 우리 주위에서도 이 같은 일이 종종 일어난다. 딸아이와 친구 같은 어린아이뿐만 아니라 어른들도 마찬가지다. 사람들은 다른 사람들로부터 협력 파트너로 선택받기 위해 경쟁적으로 이타적 행동을 하기도 한다. 심리학 실험실에서 사람들은 추후에 협동 게임의 파트너를 선택하는 단계가 있다고 안내받으면, 그런 단계가 없을 때보다 더 많은 금액을 경쟁적으로 환경 보호 기금에 기부한다. 매력적인 여성 참여자(사실은 실험 조교) 함께 있을 때, 남성 참여자들은 더 많은 기부 행동을 한다. 물론 참여자들이 얼마를 기부했는지 다른 사람들에게 공개되는 조건에서다.

내가 더 좋은 협력 파트너임을 보여주는 최고의 방법

은 내가 다른 사람보다 더 이타적이고 신뢰할 만한 사람임을 보여주는 것이다. 그래서 이타적 행동 역시 경쟁이 될 수 있다. 우리는 좋은 평판을 넘어 더 좋은 평판을 욕망한다.

우리의 이 도덕적 욕망은 인간이 협력적 사회를 만들고 번성할 수 있었던 밑바탕이 되기도 했지만, 예전과 비교할 수 없을 정도로 많은 사람들과 상호작용해야 하는 현대 사회에서 경쟁적 이타주의는 자칫 마음의 번아웃을 부를 수도 있다.

누군가 나에게 이 나이를 먹고도 아직도 항상 어려운 일이 무엇인지 물어본다면, '거절'이라고 답할 듯하다. 그렇다, 나는 타고난 예스맨, 아니 예스우먼이다. 반면 남편은 나보다 거절을 잘한다. 가족에게도, 회사 동료에게도 못하겠는 건 딱 잘라 거절한다. 집에서야 그렇다 치고, 저래서야 회사 생활 잘 할 수 있을지 걱정이 된 적도 있다. 하지만 사람들에게 좋은 인상을 주고 싶어서, 평판에 오점을 남기기 싫어서 항상 거절하지 못했던 나는 회사 생활이 너무 힘들어서 3년 만에 사직서 쓰고 나온 반면, 남편은 10년 넘게 오래도록 잘만 다니고 있다. 돌이켜 생각해 보면 평판에 너무 전전긍긍하며 내가 할 수 있는 것 이상을 하려고 무리했던 것이 내 회사 생활의 패인이었던 것 같다. 알랭 드 보통의 예리한 지적이 떠오른다. "우리를 정말 힘들게 하는 것은 한 가지 큰일이 아니라, 남들을 실망시킬까 두려워 거절하지 못하는 수천 개의 작은 의무들이다."

좋은 평판도 중요하지만, 이제는 지속 가능성도 염두에 둘 필요가 있다. 마흔이 넘어서도 거절하는데 '미움 받을 용기'가 필요하다면, 이미 좋은 사람이란 평판은 넘치도록 쌓았을 것이다. 그러니 이제는 아닌 건 거절할 줄 아는 사람이란 평판도 나쁘지 않을 듯하다. 그리고 딸에게도 친구에게 베푸는 것도 좋지만 돈을 아껴 쓸 줄도 알아야 된다고 가르쳐야겠고 말이다.

사회적 지위에 대한 욕망

"큰 야망을 품은 암컷의 성향은
모성과 충돌하기는커녕
번식 성공에 엄청난 도움이 된다."

_세라 블래퍼 허디

우리는 '마흔부터는 우아한 사람이 되고 싶다,' '품위 있게 나이 들고 싶다' 등등의 욕망을 품는다. 우리가 바라는 '우아', '품위' 같은 중년의 모습에는 통통 튀는 젊음을 보낸 그 자리에 상류 계급에 속한다는 표식, 즉 지위가 남아있기를, 또는 그렇게 보이기를 원하는 마음이 담겨있다. 남성은 가장 젊고 혈기 왕성한 시기에 가장 공격적으로 지위를 추구하지만, 여성은 오히려 젊음이 지나가고 난 후에야 더 적극적으로 지위 경쟁에 참여하는 경향이 있다.

하지만 여성 또는 암컷의 지위 추구와 지위 경쟁에 대해서 연구가 시작된 지는 그리 오래되지 않았다. 사회과학자뿐만 아니라 생물학자들조차 지위 경쟁은 남성 또는 수컷의 전유물이라고 생각해 왔기 때문이다. 수컷들의 지위 경쟁은 대개 요란스럽고 그 결과가 즉각적이고 가시적인 반면, 암컷들의 지위 경쟁은 더 은근하고 종종 오랜 기간에 걸쳐 누적적으로 이루어진 영향이 크다.

인간을 포함한 대부분의 영장류는 매우 사회적이고 위계적인 동물이다. 곰베에서 가장 유명한 침팬지 '플로'는 무리의 암컷 중에 가장 서열이 높았다. 플로가 지나가면 다른 암컷들이 복종하는 소리를 내며 길을 비켜준다. 암컷 침팬지들 사이에도 분명한 서열과 위계가 있었지만 연구자들은 암컷의 지위가 그토록 중요한 이유를 이해하지 못했다.

플로가 아무리 서열이 높다고 해도 다른 암컷보다 더 많은 새끼를 낳을 수 있는 것은 아니었기 때문이다. 반면에 수컷의 경우, 알파 수컷은 무리 대부분의 새끼들의 아비가 되고 서열이 낮은 수컷은 자손을 한 마리도 남기지 못하기 때문에 수컷 간의 서열 경쟁은 당연하게 생각되었다.

이에 대해 진화인류학자이자 페미니스트인 세라 블래퍼 허디는 큰 야망을 품은 암컷의 성향은 모성과 충돌하기는커녕 번식 성공에 엄청난 도움이 된다고 말한다. 곰베에서 진행된 장기적인 연구 덕분에, 알파 암컷이었던 플로의 딸 피피가 다시 알파 암컷이 되고, 야생 암컷 침팬지 중 최고의 번식 성공 기록을 세웠다는 사실이 알려졌다. 또 피피의 장남 프로이드는 알파 수컷이 되었고, 차남 프로도는 프로이드 바로 아래 이인자가 되었으며, 피피의 장녀인 파니는 야생에서 가장 이른 나이에 성적 성숙을 보인 침팬지가 되었다. 플로의 높은 사회적 지위의 영향은 플로의 자손들이 성장하고 나서야 극명하게 드러났다. 플로의 집안은 지금도 'F(Flo의 약자)' 패밀리라고 불리며 번창하고 있다. 모성은 야망과 충돌하지 않는다. 암컷의 지위 추구는 자손과 손자들이 살아남게 하는 능력 중 하나다.

매우 평등주의적인 수렵 채집 사회에서 극단적으로 불평등했던 전제군주제 사회에 이르기까지, 대부분의 인간 사회에서 사회적 지위는 신체적, 정서적 건강, 수명, 생식 연령, 생존한 자손의 수 등에 긍정적인 영향을 미친다. 따라서 남녀 모두 높은 지위를 얻기 위해 노력한다. 다양한 연구들이 대부분의 인간 사회에서도 높은 지위를 얻고자 하는 욕망에는 성별 차이가 없다는 것을 보여주었다. 하지만 높은 지위를 얻기 위해 사용하는 전략에는 성별 차이가 나타난다. 여성의 전략은 더 미묘하고 안전하며 고독한 형태를 띤다.

여성은 특정 상대방을 꺾고 이기는 것보다 자원을 획득하는 데 관심이 더 많다. 경쟁의 대상이 되는 자원은 식량 자원, 통장 잔고뿐만 아니라 사회적 지원이나 네트워크가 될 수도 있다. 이런 목표는 치명적인 경쟁보다는 근면하고 끈기 있는 노력을 통해 더 잘 성취될 수 있다.

반면에 남성은 더 빈번하게, 더 치명적인 경쟁에서 적극적인 경향이 있고, 경쟁 상대를 이기는 데 더 집중한다. 그리고 일반적으로 집단 내에서 확립된 지위 차이를 더 잘 수용하는 경향이 있다. 대기업에서 사장-상무-부장-차장-과장 등으로 끝도 없이 이어지는 명시적인 서열 관계에 남녀 신입사원 모두 뜨악해 하지만, 남성이 여성보다 이 위계적 질서에 더 잘 순응할 가능성이 더 높다. 언젠가는 이 위계의 상층부로 올라서기 위해 가장 밑바닥의 지위를 받아들인다는 거부감이 덜한 듯하다. 하지만 혼자서 꾸준히 실적을 올려 승부를 봐야 하는 보험 설계사들 중에 '최고의 판매왕'은 여성일 가능성이 더 높다. 물론 이러한 성별 차이들은 평균적인 경향성에 대한 것이지, 개별 여성과 남성에 대한 이야기는 아니다. 또 여성(또는 남성) 사이에서의 편차가 여성과 남성 사이의 편차보다 더 크다는 것은 분명하다.

다만 여성이 남성만큼 상대를 누르는 서열 경쟁에 적극적인 경우는 대개 두 가지 경우다. 경쟁의 수혜자가 자녀일 때, 그리고 더 이상 육아에 대해 걱정할 필요가 없을 만큼 나이를 먹었을 때. 남성이 샤먼이나 지도자를 맡는 전통적인 수렵 채집 사회에서도 종종 여성이 높은 지위의 샤먼이 되기도 하는데, 이런 경우는 항상 여성이 출산 연령을 넘긴 중년에 이르러서다.

자식을 낳고 기르는 중인 생식 연령의 여성은 스스로를 치명적인 위험에 빠트릴 수도 있는 경쟁에 참여하기를 꺼린다. 만약 자신이 위험에 빠지면 아직 의존적인 아이들에게도 치명적이기 때문이다. 하지만 어느 정도 자식들이 자라면 사정이 달라진다. 여성의 지위 추구는 생식 연령이 지난 뒤에 더욱 두드러진다. 힘든 육아에 쏟던 힘을 지위 추구에 쓸 여력이 생기고, 그런 높은 지위의 수혜자가 자식으로 이어지는 시기이기 때문이다.

우리는 더 이상

모든 사람을

만족시킬 수 없다

“인류는 대략
백오십 명 안팎의 사람들로 이루어진
집단 안에서 안정적인
사회적 관계를 맺고
유지하며 살아왔다.”

_로빈 던바

"아~ 뭐야 진짜~!" 핸드폰 알람을 확인한 친구가 외마디 비명을 지른다.

"왜 그런데?"

당근 마켓 중고 거래 사이트에 맘에 드는 물건이 있길래 판매자랑 값을 흥정 좀 했기로서니 상대방으로부터 비매너 평가를 받았단다. 친구는 화를 냈지만, 나는 새로운 온라인 평판 관리 시스템에 감탄하고 말았다. 당근 마켓에서 물건을 팔 때만 매너 온도가 쌓이는 줄 알았는데 구매자도 매너 평가를 받는다니, 정말 획기적인 온라인 평판 추적 시스템이다.

온라인 중고거래의 판도가 그동안 부동의 1위를 지키던 중고나라에서 신흥 강자 당근마켓으로 옮겨가는 이유가 비단 가까운 동네에서 거래할 수 있기 때문만은 아닌 것 같다. 평판 추적 시스템을 도입해 익명의 상호작용에서 일어나기 쉬운 무례한 행동을 사전에 차단하는 효과를 거둘 수 있었던 것이 신의 한 수가 아닐까? 온라인상에서, 실명도 아닌 아이디에 붙은 매너 온도가 무슨 그런 큰 효과가 있겠냐고 생각할지도 모르겠다. 하지만 한 번이라도 온라인으로 물건을 구매해 본 사람이라면 기업이나 판매자의 온라인 평판, 즉 이전 소비자들이 평가한 별점이 얼마나 중요한지 알 것이다. 별점은 온라인 상거래의 성패를 가르는 기준이다.

매너 온도가 깎였다고 툴툴거리는 친구에게 물어보았다.

"그래서 너 지금 매너 온도가 몇 도인데?"

"89도. 내가 어떻게 90도 찍었는데… 이렇게 허무하게 떨어지다니! 말도 안 돼!"

"말도 안 돼! 너무 높은 거 아니냐?? 좀 있으면 끓겠다, 끓겠어!"

우리는 인터넷 중고거래 사이트에서마저도 평판과 관련된 단서가 주어지면 민감하게 반응한다. 온라인에서 딱히 물건을 팔 일이 없더라도 그렇다. SNS 팔로워 수나 좋아요 수에 목숨을 걸기도 한다. 온라인상에서 벌어지는 익명의 악성 댓글에 사람이 죽을 수도 있는 이유다.

평판에 신경 쓰고, 다른 사람의 시선을 예민하게 느끼며, 다른 사람의 신뢰성을 평가하는 마음은 조상들의 작은 세계에서는 분명 적응적이었을 것이다. 하지만 현대사회의 대규모 집단 그리고 익명의 상호작용에서도 케케묵은 동일한 마음의 기제가 작동하는 게 문제다. 일부는 어느 정도 유용하지만, 어쩌면 너무 과도하게 힘을 쓰고 있는 것일지도 모른다. 현대사회에서 우리를 스쳐 지나가는 사람들은 예전처럼 우리의 생사를 좌우할 정도로 우리 삶에 중요한 사람들이 아닌데도, 그중에는 살면서 다시 만날 일 없는 사람들이 더 많은데도, 우리는 여전히 그들의 시선과 나에 대한 그들의 평가에 과도하게 연연하며 살아간다.

예전에는 나와 마주치는 대부분의 사람들이 중요한 관계를 맺고 있었고, 평판 때문에 생사가 달리기도 했다. 그리고 지금보다 훨씬 더 적은 수의 사람들과 관계 맺었다. 던바의 수(150이다!)로 유명한 영국의 인류학자 로빈 던바는 인간의 뇌 신피질 크기를 바탕으로 과거에 사람들은 대략 백오십 명 안팎의 사람들로 이루어진 집단 안에서 안정적인 사회적 관계를 맺고 유지하며 살아왔을 것으로 추정했다. 백오십 명에게 좋은 평판을 얻고 유지하는 것은 완전히 비현실적인 목표는 아니다. 하지만 인터넷으로 연결된 수십억 명의 사람들과 맺는 관계는 다르다. 물론 모든 사람에게 좋은 평판을 얻으면야 좋겠지만, 이는 불가능한 일이다.

홍적세의 작은 공동체 속에서 진화한 우리의 마음은 길 가다가 마주치는 사람들, 심지어 SNS에 익명의 댓글을 단 사람들에게까지 좋은 평판을 얻고 싶어 한다. 혹시 너무 피곤할 정도로 신경이 쓰인다는 생각이 든다면, 지금 내가 신경 쓰고 있는 사람들이 내 삶에서 어느 정도로 중요한 사람들인지 다시 한번 생각해 보자. 내 인생에서 정말 중요한 사람들은 생각보다 그리 많지 않을지도 모른다. 스쳐 지나가는 사람들로부터 받는 평가에 속상해하기엔 우리에게 남은 시간은 너무나 소중하다.

마흔의 문장들

서툰 어른을 위한 진화심리학자의 위로

1판 1쇄 인쇄 2022년 7월 7일
1판 1쇄 발행 2022년 7월 15일

지은이 유지현

발행인 황민호
본부장 박정훈
책임편집 김순란
기획편집 한지은 강경양 김사라
마케팅 조안나 이유진 이나경
국제판권 이주은
제작 심상운

발행처 대원씨아이㈜
주소 서울특별시 용산구 한강대로15길 9-12
전화 (02)2071-2017
팩스 (02)749-2105
등록 제3-563호
등록일자 1992년 5월 11일

ISBN 979-11-6918-537-0 (03180)